GENEVIÈVE EVERELL

· PIZZA SUSHI ·

110 recettes à déguster sur une galette (ou pas !)

Les Éditions
Goélette

De la même auteure :
Dumplings, Les Éditions Goélette, 2019.
Poke, Les Éditions Goélette, 2018.
Mes 50 recettes préférées, Les Éditions Coup d'œil, 2017.
Il était une fois... Miss Sushi, Les Éditions Goélette, 2017.
Les bouchées de bonheur de Geneviève Everell, Les Éditions Goélette, 2016.
Tartare à la maison, Les Éditions Goélette, 2015.
Sushi à la maison, Les Éditions Goélette, 2014.

Conception graphique : Maude Vallières et Marjolaine Pageau
Couverture et infographie : Marjolaine Pageau
Rédaction des recettes : Stéphanie Tremblay
Direction éditoriale : Maude-Iris Hamelin-Ouellette
Révision et correction : Chantale Landry et Laurence Taillebois
Photographies et stylisme : Sarah Laroche
Assistante culinaire : Charlie Cadieux

© 2019, Les Éditions Goélette inc., Geneviève Everell, Sarah Laroche
www.boutiquegoelette.com
www.facebook.com/EditionsGoelette
www.sushialamaison.com
www.sarahlaroche.ca

Dépôt légal : 4e trimestre 2019
Bibliothèque et Archives nationales du Québec
Bibliothèque et Archives Canada

Nous remercions le gouvernement du Québec de l'aide financière accordée
par l'entremise du Programme de crédit d'impôt pour l'édition de livres,
administré par la SODEC.

Canadä

Nous reconnaissons l'aide financière du gouvernement du Canada par
l'entremise du Fonds du livre du Canada (FLC) pour nos activités d'édition.
We acknowledge the financial support of the Government of Canada through
the Canada Book Fund (CBF) for our publishing activities.

 Membre de l'Association nationale des éditeurs de livres

Imprimé en Chine
ISBN : 978-2-89800-083-6

TABLE DES MATIÈRES

INTRODUCTION

Gourmande de nature, j'avoue que j'ai toujours eu une attirance pour les makis frits, les pizzas sushis et toutes les bases frites. En fait, tout ce qui est croustillant sous la dent m'a toujours émoustillée.

Cela fait longtemps que je pensais à faire un livre sur les pizzas sushis, mais je ne croyais pas avoir assez d'inspiration pour créer autant de recettes complètement WOW. Je peux vous confirmer que je ne manque finalement pas d'idées !

J'ai décidé d'y aller avec certaines recettes classiques et, comme vous le savez maintenant, j'ai ajouté mon côté *funky* à plusieurs autres. Je vous souhaite de vous amuser autant que j'ai pu le faire.

Pour vous guider, voici mon top 5 de mes recettes préférées dans le livre ! Chacune d'elle porte la mention « Recette coup de cœur ».

- LE PAVÉ À JÉJÉ (P. 45)
- HOMARD À L'ESTRAGON (P. 114)
- LA NOUVELLE (P. 130)
- BURRATA AUX FIGUES ET AUX TOMATES SÉCHÉES (P. 181)
- TOFU AUX ARACHIDES (P. 186)

POUR COMMENCER

UNE PIZZA SUSHI, C'EST QUOI ?

Croyez-le ou non, la pizza sushi n'a pas été inventée en Asie, mais bien au Canada durant les années 1990 ! Comme pour la poutine dont le lieu d'origine est encore débattu, celui de la pizza sushi est contesté entre Toronto et Montréal. Mais la faveur populaire va à Toronto qui en a fait l'un de ses plats signatures.

Véritable démonstration de la cuisine fusion, la pizza sushi se présente habituellement sous la forme d'une galette de riz frite et recouverte de différentes garnitures. Le classique du classique : sashimi de saumon, mayonnaise épicée, tobiko, oignons verts et avocat.

Avec le temps, les garnitures ont évolué selon l'inspiration des chefs. À présent, je vous mets au défi de trouver un restaurant de sushi qui n'a pas au moins une pizza sushi à son menu ! Les mélanges sont infinis pour agrémenter les si savoureuses et croustillantes galettes de riz !

LA GALETTE

C'est la base de tout pour une pizza sushi !

Voici comment réaliser la MEILLEURE galette :

Avec les mains bien mouillées (sinon ça colle !), prenez 1 tasse de riz à sushi cuit (voir p. 10) et façonnez une galette, style hamburger. Comme la galette ne rétrécira pas à la cuisson comme le fait la viande, éviter de la faire trop épaisse. Si la galette semble fragile, on peut la solidifier avec du panko. Trempez la galette dans le mélange à tempura (voir p. 10), puis dans le panko. Il ne reste plus qu'à la frire !

Et si vous ne voulez pas vous casser la tête, j'ai fait des galettes prêtes à utiliser ! Vous les trouverez dans les IGA au rayon des poissons surgelés.

Trucs de pro

Pour mesurer 1 tasse de riz sans vraiment mesurer, formez une boule de riz d'une grosseur entre une balle de golf et une balle de tennis.

Pour façonner une galette sans trop se coller les doigts, déposez la boule de riz sur une pellicule plastique et refermez-la en balluchon. Formez la galette et retirez la pellicule plastique.

Pour façonner de belles galettes uniformes, prenez le couvercle d'un pot de beurre d'arachide de 2 kg. Déposez-y la pellicule plastique, puis la boule de riz. Refermez la pellicule plastique et écrasez le riz uniformément. Retirez la pellicule plastique. Une galette parfaite !

Il est possible (je l'ai fait dans plusieurs recettes !) de varier l'extérieur de la galette. Plutôt que de la tempura prête à servir, on peut utiliser des graines de sésames, de la bonite séchée, des amandes tranchées, de la noix de coco, du maïs soufflé, de la chapelure Graham ou de biscuits Oreo... Pas de limite à l'imagination !

Et même pour remplacer le riz : une galette de patate douce, un *crab cake* ou autre galette de poisson... Pourquoi pas ?

Voici mes recettes préférées de galettes originales. Feuilletez le livre, vous en trouverez d'autres !

Galette au chou-fleur fromagé

2 tasses de chou-fleur haché très finalement
1 œuf
1/2 tasse de fromage râpé, au choix

Dans un bol, cuire le chou-fleur au four à micro-ondes pendant 2 minutes. Laisser refroidir. Ajouter l'œuf et le fromage. Mélanger. Façonner 2 galettes.

Dans un poêle, cuire les galettes des 2 côtés jusqu'à ce qu'elles soient dorées en les manipulant délicatement.

Galette avocat et légumes

1 tasse d'avocat en purée
1 1/4 tasse de légumes râpés et asséchés
Mélange à tempura (voir p. 10)
Panko

Dans un bol, mélanger l'avocat et les légumes râpés. Façonner 2 galettes. Ajouter un peu de panko si elles semblent fragiles. Enrober les galettes de mélange à tempura, puis de panko.

Dans un bain d'huile ou une friteuse à 350 °F, frire les galettes jusqu'à ce qu'elles soient dorées et croustillantes. Bien égoutter et déposer sur du papier absorbant.

Galette patate douce et chou-fleur

1 tasse de patate douce cuite
1 tasse de chou-fleur haché très finement
Sel et poivre, au goût
Mélange à tempura (voir p. 10)
Panko

Dans un bol, mélanger la patate douce et le chou-fleur. Saler et poivrer. Façonner 2 galettes. Ajouter un peu de panko si elles semblent fragiles. Enrober les galettes de mélange à tempura, puis de panko.

Dans un bain d'huile ou une friteuse à 350 °F, frire les galettes jusqu'à ce qu'elles soient dorées et croustillantes. Bien égoutter et déposer sur du papier absorbant.

Une galette pas galette ?

Si vous voulez changer de la galette frite, soit pour un repas plus santé sans friture ou plus rapido, il y a d'autres options (ça aussi je l'ai fait dans quelques recettes !). On peut simplement façonner une galette de riz à sushi et la déposer dans une assiette. J'avoue, pour manger, qu'il faut oublier les pointes...

Sinon, on peut utiliser de bons craquelins, des blinis, des croûtons de baguette, du pain grillé... Encore une fois, il y a plein d'options !

BIEN CHOISIR SES PRODUITS

Le fameux poisson cru de qualité sushi et tartare n'est pas si compliqué à trouver ! Que ce soit du saumon, du thon ou autre, le plus important à retenir, c'est que le produit doit vous être recommandé par votre poissonnier. Même chose pour les fruits de mer ! En boutique spécialisée ou en épicerie, osez lui parler. Demandez-lui : « Je veux faire des sushis avec du saumon. Qu'avez-vous pour moi ? » Pensez à faire enlever la peau, ça vous fera moins de travail !

Du Pacifique, de l'Atlantique, sauvage, bio ou issu de la pêche écologique et responsable ? C'est votre choix, tant que le traitement adéquat a été fait : une congélation à -20 °C pendant 7 jours ou à -35 °C pendant 15 heures, selon le MAPAQ.

Comment reconnaître un produit frais ? À l'odeur, bien sûr. Alors, sentez-le ! Aucune odeur douteuse ne doit en émaner. Un saumon bien frais sera généralement lustré et brillant. Un autre indice : sous une légère pression du doigt, le produit reprend sa forme aussitôt.

Si vous voulez une valeur sûre de fraîcheur et de qualité, essayez mes super tubes ! Chacun contient 130 g de saumon, thon ou pétoncles. Vous les trouverez au rayon des poissons surgelés chez IGA.

LA CONSERVATION

Le mélange de poisson pour vos pizzas sushis peut être préparé à l'avance (mais le jour même) et gardé au réfrigérateur jusqu'au moment du montage. Par contre, s'il y a du croustillant dedans (par exemple de la tempura prête à servir), ajoutez-le tout juste avant de servir, sinon il ramollira.

LE FROID

Garder la viande, les poissons et les fruits de mer crus au froid est ultra important ! Préparez un bain-marie glacé : un bol rempli de glace dans lequel vous déposez un autre bol afin qu'il soit froid et que son contenu reste à une température de 4 °C, comme au réfrigérateur.

Si vous avez un gros morceau de viande ou de poisson, mieux vaut le tailler en plus petites parties et les garder au réfrigérateur jusqu'au moment de les couper. Ensuite, hop, dans le bain-marie glacé !

LA COUPE

Pour les habitués des tartares, la technique de coupe des petits cubes est sans doute maîtrisée ! Pour les novices : dans la grosse pièce de poisson, coupez des tranches, puis des lanières et, enfin, des cubes. N'oubliez pas le bain-marie de glace pour garder le tout au frais !

Si la recette demande des sashimis (tranches de poisson), coupez-les assez minces (moins de 5 mm).

Pour vous simplifier la vie, mes tubes vous donnent déjà des cubes parfaits !

SAUMON

THON

PAVÉ

PAVÉ

SASHIMIS

SASHIMIS

CUBES À TARTARES

CUBES À TARTARES

9

RECETTES DE BASE

RIZ À SUSHI

2 TASSES

1 tasse de riz à sushi
1 tasse d'eau
2 1/2 c. à soupe d'assaisonnement pour riz à sushi

Mettre le riz dans un grand bol et le rincer délicatement à l'eau froide à l'aide d'une cuillère en bois ou en plastique, puis vider l'eau. Répéter l'opération 4 ou 5 fois, jusqu'à ce que l'eau reste claire. Cette opération a pour but d'enlever l'excédent d'amidon du riz.

Cuire le riz avec l'eau dans un cuiseur à riz ou dans une casserole en suivant les instructions données sur l'emballage.

Ajouter l'assaisonnement pour riz à sushi et mélanger à l'aide d'une cuillère en bois. Laisser le riz refroidir de 12 à 20 minutes, en remuant de 2 à 3 fois, afin que chaque grain de riz s'imbibe bien de l'assaisonnement.

ASSAISONNEMENT POUR RIZ À SUSHI

2 1/2 C. À SOUPE

2 1/2 c. à soupe de vinaigre de riz
1/2 c. à soupe de sel
1/2 c. à soupe de sucre

Mélanger tous les ingrédients jusqu'à la dissolution du sel et du sucre.

MÉLANGE À TEMPURA

2 TASSES

1 tasse de préparation à tempura du commerce
1 tasse d'eau glacée

À l'aide d'un fouet, mélanger tous les ingrédients afin d'obtenir une texture de pâte à crêpes épaisse.

NOTE DE GENEVIÈVE

Si, par erreur, il y a trop d'eau, ajouter de la farine blanche, à l'œil, afin d'avoir la bonne texture.

RIZ À SUSHI DESSERT

2 TASSES

1 tasse de riz à sushi
1 tasse d'eau
1 tasse de crème anglaise

Mettre le riz dans un grand bol et le rincer délicatement à l'eau froide à l'aide d'une cuillère en bois ou en plastique, puis vider l'eau. Répéter l'opération 4 ou 5 fois, jusqu'à ce que l'eau reste claire. Cette opération a pour but d'enlever l'excédent d'amidon du riz.

Cuire le riz avec l'eau dans un cuiseur à riz ou dans une casserole en suivant les instructions données sur l'emballage.

Ajouter la crème anglaise et mélanger à l'aide d'une cuillère en bois. Laisser le riz refroidir de 12 à 20 minutes, en remuant de 2 à 3 fois, afin que chaque grain de riz s'imbibe bien de crème anglaise.

CRÈME ANGLAISE

1 TASSE

2 jaunes d'œufs
2 c. à soupe de sucre
1/2 c. à thé d'extrait de vanille
1/2 tasse de crème 35 % chaude
1/4 de tasse de lait chaud

Dans une casserole à fond épais, hors du feu, fouetter les jaunes d'œufs, le sucre et la vanille jusqu'à ce que le mélange blanchisse.

Incorporer peu à peu la crème et le lait chauds en fouettant. Cuire à feu doux en remuant à l'aide d'une cuillère en bois. Lorsque le mélange nappe bien le dos de la cuillère, filtrer dans un tamis fin et laisser refroidir au réfrigérateur.

SAUCES ET MAYONNAISES

GUACAMOLE

1 TASSE

1 avocat écrasé à la fourchette
Le jus de 1/2 lime
1 pincée de fleur de sel

Dans un bol, mélanger tous les ingrédients.

MAYONNAISE À LA LIME

1/3 DE TASSE

1/4 de tasse de mayonnaise
Le zeste de 1/2 lime
Le jus de 1/2 lime

Dans un bol, mélanger tous les ingrédients.

MAYONNAISE AU CARI

1/4 DE TASSE

1/4 de mayonnaise
1 c. à soupe de pâte de cari
1 pincée de fleur de sel
1 filet de miel

Dans un bol, mélanger tous les ingrédients.

MAYONNAISE À L'ORANGE

1/4 DE TASSE

1/4 de tasse de mayonnaise
Le zeste de 1/2 orange
1 pincée de fleur de sel

Dans un bol, mélanger tous les ingrédients.

MAYONNAISE À LA MOUTARDE DE DIJON ET AU MIEL

1/2 TASSE

6 c. à soupe de mayonnaise
2 c. à soupe de moutarde de Dijon
1 généreux filet de miel

Dans un bol, mélanger tous les ingrédients.

MAYONNAISE AU MIEL

1/4 DE TASSE

1/4 de tasse de mayonnaise
1/2 c. à soupe de miel

Dans un bol, mélanger tous les ingrédients.

MAYONNAISE AU MIEL ET AU CITRON

1/4 DE TASSE

4 c. à soupe de mayonnaise
1 c. à thé de miel
Le jus de 1/2 citron

Dans un bol, mélanger tous les ingrédients

MAYONNAISE AU SÉSAME

1 1/3 TASSE

1 tasse de mayonnaise
2 c. à soupe d'huile de sésame
2 c. à soupe de sirop d'érable
2 c. à soupe de sauce teriyaki
1 c. à thé de sauce hoisin
Fleur de sel, au goût

Dans un bol, mélanger tous les ingrédients.

NOTE DE GENEVIÈVE
Chez IGA, vous en trouverez une version toute prête !

MAYONNAISE AU WASABI ET À L'ORANGE

1/4 DE TASSE

1/4 de tasse de mayonnaise
Le zeste de 1/2 orange
Le jus de 1/4 d'orange
Pâte de wasabi, au goût

Dans un bol, mélanger tous les ingrédients.

MAYONNAISE AUX HERBES DE PROVENCE

1/4 DE TASSE

1/4 de tasse de mayonnaise
1 c. à thé d'hebes de Provence
1 c. à thé de persil haché
1 petite pincée de fleur de sel

Dans un bol, mélanger tous les ingrédients.

MAYONNAISE ÉPICÉE

1 1/4 TASSE

1 tasse de mayonnaise
3 c. à soupe de sauce sriracha
2 c. à soupe de miel
Fleur de sel, au goût

Dans un bol, mélanger tous les ingrédients.

NOTE DE GENEVIÈVE
Chez IGA, vous en trouverez une version toute prête !

SAUCE HOLLANDAISE

1 TASSE

2 c. à soupe d'eau
2 c. à soupe de jus de citron
4 jaunes d'œufs
1 tasse de beurre fondu et tempéré
1 pincée de fleur de sel

Dans la partie supérieure d'un bain-marie, hors du feu, fouetter l'eau, le jus de citron et les jaunes d'œufs. Déposer au-dessus de l'eau en ébullition et fouetter jusqu'à ce que la texture devienne épaisse et mousseuse. Retirer le bol du bain-marie. Hors du feu, incorporer le beurre en filet en fouettant sans arrêt. Ajouter la fleur de sel.

VINAIGRETTE PONZU

1/3 DE TASSE

2 c. à soupe de vinaigre de riz
1 c. à soupe de sauce ponzu
1 c. à soupe de sirop d'érable
1 c. à soupe de sauce tamari
1 c. à soupe d'oignons verts ciselés
1 c. à thé de miel
1 c. à thé de gingembre haché
1 c. à thé de graines de sésame blanches
1 filet d'huile de sésame
1 filet d'huile d'olive
1 pincée de fleur de sel

Dans un bol, mélanger tous les ingrédients.

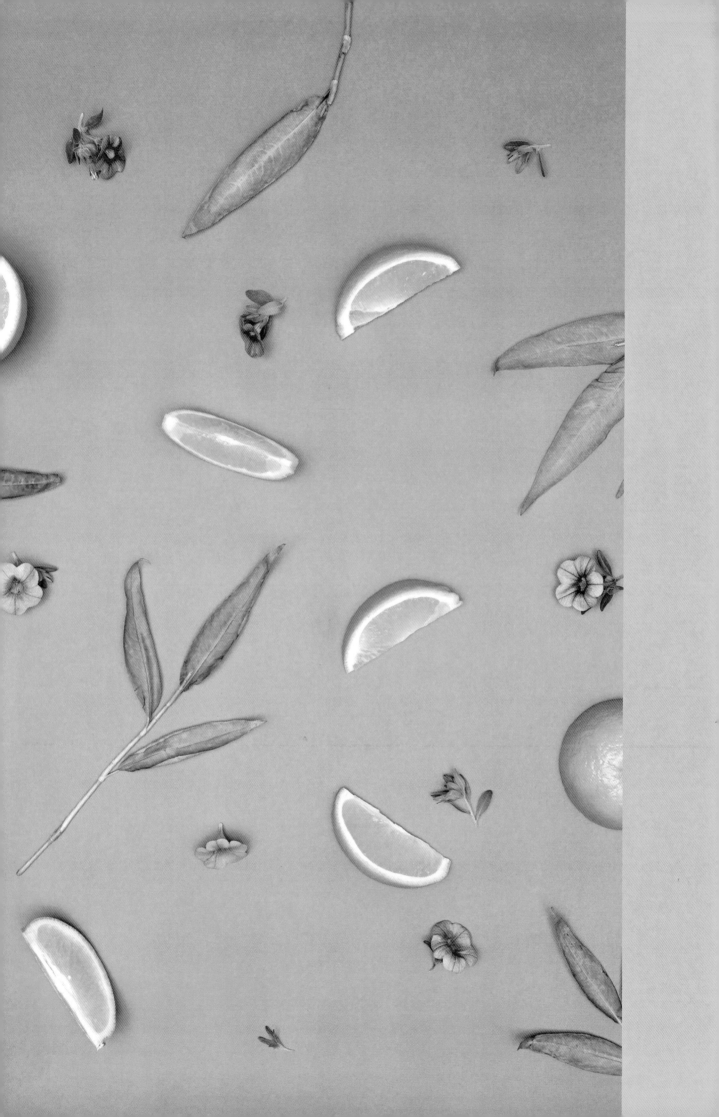

01 PIZZAS AU POISSON

ASPERGES CONTEMPORAINES

INGRÉDIENTS

CONCOMBRE MARINÉ

1/2 concombre anglais tranché en rubans

1/4 de tasse de vinaigre de riz

1 c. à thé de sucre

GALETTES

2 tasses de riz à sushi cuit (voir p. 10)

Mélange à tempura (voir p. 10)

Panko

ASPERGES FRITES

5 asperges

Mélange à tempura (voir p. 10)

Fleur de sel, au goût

CRÈME ÉPICÉE

120 ml de crème fraîche

Sambal oelek, au goût

1 filet de miel

1 pincée de fleur de sel

GARNITURE

85 g de charcuterie de saumon Searrano
Sushi à la maison

Le jus de 1/4 de citron

PRÉPARATION

CONCOMBRE MARINÉ

1. Dans un bol, faire mariner le concombre dans le vinaigre de riz et le sucre. Réserver au réfrigérateur au moins 30 minutes.

GALETTES

2. Façonner 2 galettes avec le riz. Enrober les galettes de mélange à tempura, puis de panko.

3. Dans un bain d'huile ou une friteuse à 350 °F, frire les galettes jusqu'à ce qu'elles soient dorées et croustillantes. Bien égoutter et déposer sur du papier absorbant.

ASPERGES FRITES

4. Enrober les asperges de mélange à tempura. Dans un bain d'huile ou une friteuse à 350 °F, faire frire les asperges jusqu'à ce qu'elles soient légèrement dorées et croustillantes. Bien égoutter et déposer sur du papier absorbant. Saler légèrement. Couper en 2.

CRÈME ÉPICÉE

5. Dans un bol, mélanger les ingrédients de la crème épicée.

ASSEMBLAGE

6. Sur les galettes, assembler les pizzas en étageant la crème épicée, le saumon Searrano, les asperges frites et le concombre mariné. Garnir de jus de citron. Servir.

NOTE DE GENEVIÈVE

Variante entrée : Enrouler le concombre et le saumon Searrano autour des asperges et garnir de crème épicée. *Vous allez capoter !*

CHAMPIGNONS DEMI-GLACE

INGRÉDIENTS

GALETTES
2 tasses de riz à sushi cuit (voir p. 10)

Mélange à tempura (voir p. 10)

Panko

CHAMPIGNONS GRILLÉS
1/2 tasse de champignons Oyster

1/2 tasse de champignons de Paris

1/2 tasse de champignons café

1 c. à soupe de beurre

1 pincée de fleur de sel

GARNITURE
1 sachet de sauce demi-glace du commerce

300 g de saumon frais coupé en sashimi

DÉCORATION
Champignons enokis, au goût

Oignons frits, au goût

Fleur de sel et poivre du moulin, au goût

PRÉPARATION

GALETTES
Façonner 2 galettes avec le riz. Enrober les galettes de mélange à tempura, puis de panko.

Dans un bain d'huile ou une friteuse à 350 °F, frire les galettes jusqu'à ce qu'elles soient dorées et croustillantes. Bien égoutter et déposer sur du papier absorbant.

CHAMPIGNONS GRILLÉS
Dans une poêle, faire revenir les champignons dans le beurre. Ajouter la fleur de sel.

GARNITURE
Dans une petite casserole, préparer la sauce demi-glace en suivant les instructions sur l'emballage.

ASSEMBLAGE ET DÉCORATION
Couper chaque galette en 2. Assembler les pizzas en étageant le sashimi, les champignons poêlés et la sauce demi-glace sur chaque morceau.

Décorer de champignons enoki et d'oignons frits. Saler et poivrer. Servir chaud.

NOTE DE GENEVIÈVE

J'achète mes oignons frits au IKEA, ils sont vraiment bons !

Variante : *Déposer les sashimis en rangées dans une grande assiette. Garnir de champignons, de sauce et d'oignons frits. Déguster avec un bon vin rouge corsé.*

19

DÉJEUNER AUTREMENT

 POUR 2 PIZZAS (8 MORCEAUX)

INGRÉDIENTS

GALETTES

2 tasses de riz à sushi cuit (voir p. 10)

Mélange à tempura (voir p. 10)

Panko

ÉPINARDS

3 tasses d'épinards

1 c. à soupe d'huile d'olive

2 pincées de fleur de sel

DÉCORATION

Sauce hollandaise (voir p. 13), au goût

300 g de saumon fumé à froid

4 œufs mollets (cuisson de 3 minutes après l'ébullition)

PRÉPARATION

GALETTES

1. Façonner 2 galettes avec le riz. Enrober les galettes de mélange à tempura, puis de panko.

2. Dans un bain d'huile ou une friteuse à 350 °F, frire les galettes jusqu'à ce qu'elles soient dorées et croustillantes. Bien égoutter et déposer sur du papier absorbant.

ÉPINARDS

3. Préchauffer le four à 400 °F. Mettre les épinards sur une plaque de cuisson avec l'huile d'olive et la fleur de sel. Mettre au four environ 12 minutes. Bien surveiller.

ASSEMBLAGE ET DÉCORATION

4. Couper chaque galette en 4. Assembler les pizzas en étageant un peu de la sauce hollandaise, le saumon fumé, les épinards et les œufs mollets sur chaque morceau.

5. Décorer de sauce hollandaise. Servir.

 NOTE DE GENEVIÈVE

Si une image vaut mille mots... imagine le goût !

Variante brunch : *Déposer la garniture sur une crêpe maison de style bretonne. Vous épaterez vos invités au brunch !*

GRAVLAX AU GINGEMBRE

 POUR 1 GRANDE PIZZA (6 MORCEAUX)

INGRÉDIENTS

GRAVLAX AU GINGEMBRE

1 c. à soupe de gin

3 c. à soupe de gingembre frais

1/4 tasse de gros sel

1/4 tasse de sucre

1 c. à soupe de sirop d'érable

500 g de filet de saumon frais avec la peau

SALADE CROQUANTE

1/2 tasse de roquette

1/2 tasse de chou rouge émincé

1/2 tasse de fenouil émincé

5 radis coupés en fines tranches

1 filet d'huile de sésame

1 filet d'huile d'olive

1 pincée de fleur de sel

GALETTES

2 tasses de riz à sushi cuit (voir p. 10)

Mélange à tempura (voir p. 10)

Panko

DÉCORATION

1/2 tasse de mayonnaise au wasabi et à l'orange (voir p. 13)

1 filet d'huile de sésame

Graines de sésame noires, au goût

Fleur de sel et poivre du moulin, au goût

PRÉPARATION

GRAVLAX AU GINGEMBRE

Dans un plat, mélanger le gin, le gingembre, le gros sel, le sucre et le sirop d'érable.

Envelopper le filet de saumon de la préparation et laisser reposer au réfrigérateur 48 heures. Avant de servir, bien rincer le filet de saumon à l'eau et éponger pour retirer l'excédent d'eau. Trancher finement.

SALADE CROQUANTE

Dans un bol, mélanger les ingrédients de la salade croquante. Réserver au réfrigérateur au moins 1 heure.

GALETTES

Façonner 1 grosse galette avec le riz. Enrober la galette de mélange à tempura, puis de panko.

Dans un bain d'huile ou une friteuse à 350 °F, frire la galette jusqu'à ce qu'elle soit dorée et croustillante. Bien égoutter et déposer sur du papier absorbant.

ASSEMBLAGE ET DÉCORATION

Couper chaque galette en 6. Assembler la pizza en étageant la mayonnaise au wasabi, les tranches de gravlax et la salade croquante sur chaque morceau.

Décorer d'huile de sésame et de graines de sésame. Saler et poivrer. Servir.

 NOTE DE GENEVIÈVE

Je vous le jure, la mayonnaise au wasabi et à l'orange vous surprendra. Elle est si délicieuse !

Variante salade : *Mélanger simplement la salade croquante, le gravlax grossièrement coupé et la mayonnaise au wasabi et à l'orange. Wow !*

KAMIKAZE CLASSIQUE

INGRÉDIENTS

GALETTES

2 tasses de riz à sushi cuit (voir p. 10)

Mélange à tempura (voir p. 10)

Panko

Bonite séchée (facultative)

GARNITURE AU THON

260 g de thon coupé en petits cubes ou 2 tubes Sushi à la maison

2 c. à soupe de mayonnaise épicée (voir p. 13)

2 c. à soupe d'oignons verts ciselés

1 c. à soupe de tempura prête à servir

1 c. à thé de masago rouge (œufs de capelan)

1 c. à thé de sauce hoisin

1/2 c. à thé d'huile de sésame

1 filet d'huile d'olive

1 pincée de fleur de sel

DÉCORATION

1/4 de concombre anglais coupé en fines tranches

1/2 avocat coupé en fines tranches

Graines de sésame noires, au goût

Oignons verts ciselés, au goût

PRÉPARATION

GALETTES

1 Façonner 2 galettes avec le riz. Enrober les galettes de mélange à tempura, puis de panko et de bonite séchée, si désiré.

2 Dans un bain d'huile ou une friteuse à 350 °F, frire les galettes jusqu'à ce qu'elles soient dorées et croustillantes. Bien égoutter et déposer sur du papier absorbant.

GARNITURE AU THON

3 Dans un bol, mélanger le thon, la mayonnaise épicée, les oignons verts, la tempura, le masago rouge, la sauce hoisin, l'huile de sésame, l'huile d'olive et la fleur de sel.

ASSEMBLAGE ET DÉCORATION

4 Sur les galettes, assembler les pizzas en étageant les tranches d'avocat et de concombre et la garniture au thon.

5 Décorer de graines de sésame et d'oignons verts. Servir.

 ### NOTE DE GENEVIÈVE

Un classique toujours si bon ! La bonite apporte un petit goût de fumée bien agréable, mais c'est tout aussi bon sans !

Variante tartare : *Simplement servi sur des craquelins ou en verrine en l'étageant avec l'avocat et le concombre coupés en cubes, ce tartare kamikaze fera une entrée parfaite.*

LA BELLE EXOTIQUE

 POUR 2 PIZZAS (8 MORCEAUX)

INGRÉDIENTS

GALETTES
2 tasses de riz à sushi cuit (voir p. 10)

Mélange à tempura (voir p. 10)

Noix de coco râpée non sucrée

GARNITURE AU SAUMON
260 g de saumon frais coupé en petits cubes ou 2 tubes Sushi à la maison

1/4 de tasse d'ananas coupé en petits cubes

1 c. à soupe de masago rouge (œufs de capelan)

1/4 de tasse d'amandes tranchées grillées

1 c. à soupe de ciboulette hachée

2 c. à soupe de mayonnaise épicée (voir p. 13)

Fleur de sel, au goût

DÉCORATION
1/2 avocat finement tranché

4 tranches de saumon fumé à froid

Noix de coco grillée, au goût

PRÉPARATION

GALETTES
1. Façonner 2 galettes avec le riz. Enrober les galettes de mélange à tempura, puis de noix de coco râpée.

2. Dans un bain d'huile ou une friteuse à 350 °F, frire les galettes jusqu'à ce qu'elles soient dorées et croustillantes. Bien égoutter et déposer sur du papier absorbant.

GARNITURE AU SAUMON
3. Dans un bol, mélanger le saumon frais, l'ananas, le masago rouge, les amandes, la ciboulette et la mayonnaise épicée. Saler.

ASSEMBLAGE ET DÉCORATION
4. Couper chaque galette en 2. Assembler la pizza en étageant les tranches d'avocat, le saumon fumé à froid et la garniture au saumon.

5. Décorer de noix de coco grillée. Servir.

 NOTE DE GENEVIÈVE

Ça va goûter les vacances, même en plein hiver !

Variante tartare : *Écraser les avocats. Dans des coupes à martini, déposer la purée d'avocat au fond, puis la garniture au saumon.*

LA CROQU'AIGLE

INGRÉDIENTS

CROQUETTES D'AIGLEFIN

1 patate douce

1 filet d'aiglefin

1 c. à soupe d'aneth haché

Le zeste de 1/2 citron

1/2 c. à thé de sambal oelek

1 pincée de fleur de sel

SALADE DE CONCOMBRE ET DE POMME

1 concombre libanais coupé en fines tranches

1/2 pomme verte coupée en fines tranches

1/2 c. à thé de vinaigre de riz

1 c. à soupe de graines de sésame noires et blanches

1 filet d'huile de sésame

1/2 c. à thé de sambal oelek

SAUCE

1/3 de tasse de crème sure

Le jus de 1/2 citron

1 pincée de fleur de sel

6 feuilles de menthe hachées

1 c. à soupe d'aneth haché

1/2 c. à thé d'ail

DÉCORATION

Graines de sésame noires et blanches, au goût

PRÉPARATION

CROQUETTES D'AIGLEFIN

1 À l'aide d'une fourchette, piquer la patate douce à plusieurs endroits. Déposer la patate douce dans une assiette, mettre au four à micro-ondes et cuire 4 minutes, en retournant le légume à la mi-cuisson. Éplucher et écraser à la fourchette.

2 Déposer le filet d'aiglefin dans une assiette, mettre au four à micro-ondes et cuire 2 minutes. Écraser à la fourchette.

3 Dans un bol, mélanger la patate douce, l'aiglefin, l'aneth, le zeste de citron, le sambal oelek et la fleur de sel. Façonner en croquettes.

4 Dans un bain d'huile ou une friteuse à 350 °F, frire les croquettes jusqu'à ce qu'elles soient dorées et croustillantes. Bien égoutter et déposer sur du papier absorbant.

SALADE DE CONCOMBRE ET DE POMME

5 Dans un bol, mélanger les ingrédients de la salade de concombre et de pomme.

SAUCE

6 Dans un bol, mélanger les ingrédients de la sauce.

ASSEMBLAGE ET DÉCORATION

7 Sur les croquettes, assembler les pizzas en étageant la sauce et la salade de concombre et de pomme.

8 Décorer de graines de sésame. Servir tiède.

 NOTE DE GENEVIÈVE

Vous aurez envie de refaire pas mal souvent les croquettes d'aiglefin ! Et vous pouvez même les congeler.

LA CROQUANTE SAUMON ET CHÈVRE

 POUR 2 PIZZAS (8 MORCEAUX)

INGRÉDIENTS

SAUMON MARINÉ

250 g de saumon frais coupé en sashimi

1/4 de tasse de vinaigre de riz

1/4 de tasse de sirop d'érable

LÉGUMES MARINÉS

1/4 de concombre anglais finement tranché

3 radis finement tranchés

1/4 de tasse de vinaigre de riz assaisonné

1 c. à soupe de sucre

GALETTES

2 tasses de riz à sushi cuit (voir p. 10)

Mélange à tempura (voir p. 10)

2 petites feuilles de riz rondes

Fleur de sel, au goût

NOISETTES GRILLÉES

1/2 tasse de noisettes grossièrement hachées

1 c. à thé d'huile d'olive

DÉCORATION

1/4 de tasse de fromage de chèvre émietté

Mayonnaise épicée (voir p. 13), au goût

PRÉPARATION

SAUMON MARINÉ

1. Dans un plat ou un sac hermétique, faire mariner le saumon frais dans le vinaigre de riz et le sirop d'érable au réfrigérateur environ 4 h.

LÉGUMES MARINÉS

2. Dans un bol, faire mariner le concombre et les radis dans le vinaigre de riz au réfrigérateur au moins 1 heure.

GALETTES

3. Étendre le riz sur les feuilles de riz pour les recouvrir complètement. Enrober les galettes de mélange à tempura.

4. Dans un bain d'huile ou une friteuse à 350 °F, frire les galettes jusqu'à ce qu'elles soient dorées et croustillantes. Bien égoutter et déposer sur du papier absorbant. Saler légèrement.

NOISETTES GRILLÉES

5. Dans une poêle, faire griller les noisettes dans l'huile d'olive.

ASSEMBLAGE ET DÉCORATION

6. Sur les galettes, assembler les pizzas en déposant le saumon mariné, les légumes marinés, le fromage de chèvre et les noisettes.

7. Décorer de mayonnaise épicée. Servir.

 NOTE DE GENEVIÈVE

Wow ! J'adore ce type un peu différent de pizza sushi !

LA FLAMBÉE À L'ORANGE

POUR 2 PIZZAS (8 MORCEAUX)

INGRÉDIENTS

GALETTES

2 tasses de riz à sushi cuit (voir p. 10)

Mélange à tempura (voir p. 10)

1 petit sac de croustilles Doritos réduites en miettes

GARNITURE AU SAUMON

260 g de saumon frais coupé en petits cubes ou 2 tubes Sushi à la maison

1 c. à thé de miel

1 c. à soupe d'oignons verts ciselés

1/4 de tasse de mayonnaise à l'orange (voir p. 12)

1 fromage à griller coupé en 4 tranches sur la longueur

PRÉPARATION

GALETTES

Façonner 2 galettes avec le riz. Enrober les galettes de mélange à tempura, puis de miettes de Doritos.

Dans un bain d'huile ou une friteuse à 350 °F, frire les galettes jusqu'à ce qu'elles soient dorées et croustillantes. Bien égoutter et déposer sur du papier absorbant.

GARNITURE AU SAUMON

Dans un bol, mélanger le saumon, le miel, les oignons verts et la mayonnaise à l'orange.

Dans une poêle, faire griller les tranches de fromage des 2 côtés jusqu'à ce qu'elles soient bien dorées. Couper les tranches de fromage en 2.

ASSEMBLAGE

Couper chaque galette en 4. Assembler les pizzas en étageant le fromage à griller et la préparation au saumon sur chaque morceau.

Faire griller le dessus de la pizza avec une torche alimentaire. Servir aussitôt.

 NOTE DE GENEVIÈVE

Variante tartare : *Mélanger simplement la garniture au saumon et les miettes de Doritos. Juste comme ça, le rêve !*

LA FONDANTE À L'ANANAS

POUR 2 PIZZAS (8 MORCEAUX)

INGRÉDIENTS

GALETTES

2 tasses de riz à sushi cuit (voir p. 10)

Mélange à tempura (voir p. 10)

Panko

SALADE

1/2 tasse de pousses de tournesol

1 filet d'huile d'olive

1 c. à soupe de vinaigre de riz

1 pincée de fleur de sel

RILLETTES DE SAUMON

300 g de pavé de saumon fondant Sushi à la maison effiloché

1/2 tasse d'ananas coupé en petits cubes

2 c. à soupe de fromage à la crème

2 c. à soupe de mayonnaise au sésame (voir p. 13)

1/4 de tasse de graines de citrouille salées

Sauce sriracha, au goût

1 pincée de fleur de sel

DÉCORATION

Graines de citrouille salées, au goût

PRÉPARATION

GALETTES

Façonner 2 galettes avec le riz. Enrober les galettes de mélange à tempura, puis de panko.

Dans un bain d'huile ou une friteuse à 350 °F, frire les galettes jusqu'à ce qu'elles soient dorées et croustillantes. Bien égoutter et déposer sur du papier absorbant.

SALADE

Dans un bol, mélanger tous les ingrédients de la salade.

RILLETTES DE SAUMON

Dans un bol, mélanger vigoureusement le saumon, l'ananas, le fromage à la crème, la mayonnaise au sésame, les graines de citrouille, la sauce sriracha et la fleur de sel.

ASSEMBLAGE ET DÉCORATION

Sur les galettes, assembler les pizzas en étageant les rillettes de saumon et la salade.

Décorer de graines de citrouille. Servir.

NOTE DE GENEVIÈVE

Vous allez voir, dans le livre, je vous propose plusieurs rillettes à base de pavé de saumon fondant. Vous allez me dire merci, je vous le garantis !

Variante bouchée : *Garnir des feuilles d'endive avec les rillettes de saumon, tout simplement !*

LA MONTAGNE À STÉPH

 POUR 2 PIZZAS (8 MORCEAUX)

INGRÉDIENTS

GALETTES

2 tasses de riz à sushi cuit (voir p. 10)

Mélange à tempura (voir p. 10)

Panko

GARNITURE AUX SAUMONS

200 g de saumon frais coupé en petits cubes

200 g de pavé de saumon fondant Sushi à la maison effiloché

1/2 tasse de fraises coupées en petits cubes

1/4 de tasse d'arilles de grenade

2 c. à soupe de mayonnaise épicée (voir p. 13)

1 c. à soupe d'oignons verts ciselés

1 filet d'huile de sésame

1 pincée de fleur de sel

DÉCORATION

Arilles de grenade, au goût

Fraises coupées en morceaux, au goût

PRÉPARATION

GALETTES

1 Façonner 2 galettes avec le riz. Enrober les galettes de mélange à tempura, puis de panko.

2 Dans un bain d'huile ou une friteuse à 350 °F, frire les galettes jusqu'à ce qu'elles soient dorées et croustillantes. Bien égoutter et déposer sur du papier absorbant.

GARNITURE AUX SAUMONS

3 Dans un bol, mélanger les ingrédients de la garniture aux saumons.

ASSEMBLAGE ET DÉCORATION

4 Couper chaque galette en 4. Assembler les pizzas en déposant la garniture aux saumons sur les galettes sur chaque morceau.

5 Décorer d'arilles de grenade et de fraises. Servir.

 NOTE DE GENEVIÈVE

Honnêtement, la galette n'est qu'accessoire. Simplement servi en tartare, c'est divin, fruité, salé, onctueux. Juste comme j'aime ! Et si vous le mangez directement à la cuillère, je ne vous jugerai même pas.

LA PIZZA ADA

POUR 2 PIZZAS (8 MORCEAUX)

INGRÉDIENTS

CONCOMBRE MARINÉ

1/2 concombre anglais finement tranché

5 c. à soupe de vinaigre de riz assaisonné

1/2 c. à soupe de sucre

GALETTES

2 tasses de riz à sushi cuit (voir p. 10)

Mélange à tempura (voir p. 10)

Panko

GARNITURE AU SAUMON

200 g de saumon frais coupé en petits cubes

200 g de saumon fumé à froid coupé en petits morceaux

1/2 avocat coupé en cubes

1 c. à soupe de coriandre hachée

1 filet d'huile d'olive

2 c. à soupe de tempura prête à servir

1 pincée de fleur de sel

DÉCORATION

3 c. à soupe de fromage à la crème

Coriandre, au goût

PRÉPARATION

CONCOMBRE MARINÉ

Dans un bol, mariner le concombre dans le vinaigre de riz et le sucre. Réserver au réfrigérateur au moins 1 heure.

GALETTES

Façonner 2 galettes avec le riz. Enrober les galettes de mélange à tempura, puis de panko.

Dans un bain d'huile ou une friteuse à 350 °F, frire les galettes jusqu'à ce qu'elles soient dorées et croustillantes. Bien égoutter et déposer sur du papier absorbant.

GARNITURE AU SAUMON

Dans un bol, mélanger le saumon frais, le saumon fumé, l'avocat, la coriandre, l'huile d'olive, la tempura prête à servir et la fleur de sel.

ASSEMBLAGE ET DÉCORATION

Couper chaque galette en 4. Assembler les pizzas en étageant le fromage à la crème, le concombre mariné puis la garniture au saumon sur chaque morceau.

Décorer de coriandre. Servir.

NOTE DE GENEVIÈVE

Ada est une cliente de Comptoir Sushi à la maison. Elle a créé cette pizza à la carte et je lui ai demandé si je pouvais la noter parce qu'elle avait l'air trop bonne !

Variante bouchée : *Couper le concombre en tranches plus épaisses. Garnir de fromage à la crème et de garniture au saumon. C'est plus léger et tout autant délicieux !*

LA PIZZA AU CARRÉ

POUR 2 PIZZAS (8 MORCEAUX)

INGRÉDIENTS

GALETTES
2 tasses de riz à sushi cuit (voir p. 10)

1/4 de tasse d'assaisonnement pour riz

GARNITURE AU THON
300 g de thon coupé en petits cubes

1/4 de tasse de tempura prête à servir

2 c. à soupe de mayonnaise

1 c. à soupe d'oignons verts ciselés

1 c. à thé d'huile de sésame

1 c. à thé de sirop d'érable

1 c. à thé de graines de sésame noires et blanches

1 c. à thé de gingembre haché

1 c. à thé de sauce tamari

1 pincée de fleur de sel

DÉCORATION
1 c. à soupe de sauce teriyaki

1 c. à soupe de mayonnaise au sésame (voir p. 13)

Masago rouge (œufs de capelan), au goût

PRÉPARATION

GALETTES
À l'emporte-pièce, façonner 2 galettes avec le riz. Enrober les galettes d'assaisonnement pour riz.

GARNITURE AU THON
Dans un bol, mélanger les ingrédients de la garniture au thon.

ASSEMBLAGE ET DÉCORATION
Assembler les pizzas en déposant la garniture au thon sur les galettes.

Flamber la garniture à l'aide d'une torche alimentaire.

Décorer de sauce teriyaki, de mayonnaise au sésame et de masago rouge. Servir.

NOTE DE GENEVIÈVE

Ici, j'ai voulu varier de la galette frite. Mais si vous préférez rester classique, c'est tout aussi bon avec la galette normale.

L'assaisonnement pour riz se trouve en épicerie asiatique. Il s'agit d'un mélange d'algues séchées et d'épices.

LA PIZZ' À PARTAGER

 POUR 1 GRANDE PIZZA (6 MORCEAUX)

INGRÉDIENTS

GALETTES

2 tasses de riz à sushi cuit (voir p. 10)

Mélange à tempura (voir p. 10)

Panko

GARNITURE

1/2 concombre anglais coupé en fines tranches

250 g de sashimi de thon

250 g de sashimi de saumon

100 g de saumon fumé à froid

1 avocat coupé en cubes

Salade de wakamé (algues), au goût

DÉCORATION

2 c. à soupe de mayonnaise au sésame
(voir p. 13)

2 c. à soupe de mayonnaise épicée (voir p. 13)

2 c. à soupe de sauce hoisin

Graines de sésame blanches, au goût

PRÉPARATION

GALETTES

Façonner 1 grosse galette avec le riz. Enrober la galette de mélange à tempura, puis de panko.

Dans un bain d'huile ou une friteuse à 350 °F, frire la galette jusqu'à ce qu'elle soit dorée et croustillante. Bien égoutter et déposer sur du papier absorbant.

ASSEMBLAGE ET DÉCORATION

Sur la galette, assembler la pizza en étageant le concombre, les sashimis de thon et de saumon, le saumon fumé, l'avocat et la salade de wakamé. Couper la pizza en 6 morceaux.

Décorer de mayonnaises au sésame et épicée, de sauce hoisin et de graines de sésame. Servir.

NOTE DE GENEVIÈVE

Variante sashimi : *Plutôt que de servir sur une galette de riz, faire l'assemblage simplement dans une grande assiette bien froide pour une version plus simple, mais tout aussi délicieuse.*

LE PAVÉ À JÉJÉ

 POUR 2 PIZZAS (8 MORCEAUX)

INGRÉDIENTS

GALETTES

2 tasses de riz à sushi cuit (voir p. 10)

Mélange à tempura (voir p. 10)

Panko

RILLETTES DE SAUMON

400 g de pavé de saumon fondant Sushi à la maison effiloché

3 c. à soupe de fromage à la crème

3 c. à soupe de mayonnaise

2 c. à soupe de pistaches hachées

1 c. à thé de graines de sésame blanches

1 pincée de fleur de sel

DÉCORATION

Masago rouge et orange (œufs de capelan), au goût

Graines de sésame, au goût

PRÉPARATION

GALETTES

Façonner 2 galettes avec le riz. Enrober les galettes de mélange à tempura, puis de panko.

Dans un bain d'huile ou une friteuse à 350 °F, frire les galettes jusqu'à ce qu'elles soient dorées et croustillantes. Bien égoutter et déposer sur du papier absorbant.

RILLETTES DE SAUMON

Dans un bol, mélanger les ingrédients de la garniture au saumon.

ASSEMBLAGE ET DÉCORATION

Assembler les pizzas en déposant la garniture au saumon sur les galettes.

Décorer de masago rouge et orange et de graines de sésame. Servir.

 NOTE DE GENEVIÈVE

Ajoutez-y de la sauce teriyaki, si le cœur vous en dit.

Variante tartine : *Étendre les rillettes de saumon sur une grosse rôtie de pain aux noix. Le bonheur sera au rendez-vous, c'est promis !*

45

LE QUATUOR DE RILLETTES

POUR 2 PIZZAS (8 MORCEAUX)

INGRÉDIENTS

GALETTES

2 tasses de riz à sushi cuit (voir p. 10)

Mélange à tempura (voir p. 10)

Panko

RILLETTES SAUMON-CHÈVRE

200 g de pavé de saumon fondant Sushi à la maison effiloché

75 g de fromage de chèvre

5 quartiers de mandarines en conserve

1 c. à soupe de graines de sésame noires et blanches

1 pincée de fleur de sel

RILLETTES CRABE-GINGEMBRE

250 g de fromage à la crème

150 g de chair de pattes de crabe des neiges

150 g de saumon fumé haché

1/4 de tasse de gingembre haché

1/4 de tasse de carottes râpées

1 c. à soupe de miel

1 c. à soupe de ciboulette hachée

1 c. à soupe de mayonnaise

1 pincée de fleur de sel

RILLETTES SAUMON-WASABI

150 g de pépites de saumon fumé à chaud à l'érable Atkins & Frères Sushi à la maison

75 g de fromage à la crème

1 c. à soupe de mayonnaise

2 c. à soupe de tobiko vert (œufs de poisson volant) au wasabi

1 c. à thé de pâte de wasabi

1 c. à soupe d'oignons verts ciselés

1 c. à soupe de persil haché

1 pincée de fleur de sel

MOUSSE THON-LIME

1 boîte de thon blanc dans l'eau

100 g de fromage à la crème

Le zeste de 1 lime

Le jus de 1 lime

2 c. à soupe de coriandre hachée

Poivre au citron, au goût

1 pincée de fleur de sel

PRÉPARATION

GALETTES

Façonner 2 galettes avec le riz. Enrober les galettes de mélange à tempura, puis de panko.

Dans un bain d'huile ou une friteuse à 350 °F, frire les galettes jusqu'à ce qu'elles soient dorées et croustillantes. Bien égoutter et déposer sur du papier absorbant.

RILLETTES ET MOUSSE

Dans un robot culinaire ou un mélangeur, mélanger les ingrédients de chaque rillettes et de la mousse thon-lime jusqu'à homogénéité.

ASSEMBLAGE

Couper chaque galette en 4. Assembler les pizzas en déposant les rillettes et la mousse sur des quartiers de galettes différents. Servir.

46

NOTE DE GENEVIÈVE

C'est Jérôme, le Boucanier, qui est le génie de la création des rillettes. Tout le mérite lui revient !

Il y aura des restes de rillettes et de mousse, c'est certain. Mangez-les comme vous voulez : sur des craquelins, sur du pain, à la cuillère. Vous serez heureux !

LES QUARTIERS SAUMON-PISTACHE

 POUR 2 PIZZAS (8 MORCEAUX)

INGRÉDIENTS

GALETTES

2 tasses de riz à sushi cuit (voir p. 10)

Mélange à tempura (voir p. 10)

Panko

GARNITURE AU SAUMON FUMÉ

300 g de saumon fumé coupé en petits morceaux

1/4 de tasse de pistaches hachées

1/4 de tasse de chou rouge finement haché

1/4 de tasse de pomme verte coupée en petits cubes

4 tomates séchées hachées

1 filet d'huile de sésame

2 c. à soupe de mayonnaise épicée (voir p. 13)

1 pincée de fleur de sel

DÉCORATION

3 c. à soupe de fromage à la crème

1 filet de miel

Pistaches hachées, au goût

PRÉPARATION

GALETTES

1 Façonner 2 galettes avec le riz. Enrober les galettes de mélange à tempura, puis de panko.

2 Dans un bain d'huile ou une friteuse à 350 °F, frire les galettes jusqu'à ce qu'elles soient dorées et croustillantes. Bien égoutter et déposer sur du papier absorbant.

GARNITURE AU SAUMON FUMÉ

3 Mélanger le saumon fumé, les pistaches, le chou rouge, la pomme verte, les tomates séchées, l'huile de sésame, la mayonnaise épicée et la fleur de sel.

ASSEMBLAGE ET DÉCORATION

4 Couper chaque galette en 4. Assembler les pizzas en étageant le fromage à la crème et la garniture au saumon fumé sur chaque morceau.

5 Décorer de miel et de pistaches. Servir.

 NOTE DE GENEVIÈVE

Variante brunch : *Remplacer la galette de riz par un bagel grillé pour un brunch scandinave par excellence.*

MONSIEUR RICO GRAVLAX

 POUR 2 PIZZAS (8 MORCEAUX)

INGRÉDIENTS

GRAVLAX DE SAUMON
1 c. à soupe de vodka

1/4 tasse de gros sel

1/4 tasse de cassonade

1 c. à thé de fenouil en poudre

500 g de filet de saumon frais avec la peau

GALETTES
2 tasses de riz à sushi cuit (voir p. 10)

Mélange à tempura (voir p. 10)

Panko

RICOTTA AUX AGRUMES
1 tasse de fromage ricotta

Le zeste de 1/2 citron

Le zeste de 1/2 lime

Le zeste de 1/2 orange

1 c. à soupe de gingembre haché

1 c. à thé de sirop d'érable

AVOCAT TEMPURA
4 tranches d'avocat

Mélange à tempura (voir p. 10)

Fleur de sel, au goût

DÉCORATION
Graines de sésame noires et blanches, au goût

PRÉPARATION

GRAVLAX DE SAUMON
Dans un plat, mélanger la vodka, le gros sel, la cassonade et le fenouil en poudre.

Envelopper le filet de saumon de la préparation et laisser reposer au réfrigérateur 48 heures. Bien rincer le filet de saumon à l'eau avant de servir et éponger pour retirer l'excédent d'eau. Trancher finement.

GALETTES
Façonner 2 galettes avec le riz. Enrober les galettes de mélange à tempura, puis de panko.

Dans un bain d'huile ou une friteuse à 350 °F, frire les galettes jusqu'à ce qu'elles soient dorées et croustillantes. Bien égoutter et déposer sur du papier absorbant.

RICOTTA AUX AGRUMES
Dans un bol, mélanger les ingrédients de la ricotta aux agrumes.

AVOCAT TEMPURA
Enrober les tranches d'avocat de mélange à tempura.

Dans un bain d'huile ou une friteuse à 350 °F, frire les tranches d'avocat jusqu'à ce qu'elles soient dorées et croustillantes. Bien égoutter et déposer sur du papier absorbant. Saler légèrement. Couper les tranches d'avocat en 2.

ASSEMBLAGE ET DÉCORATION
Couper chaque galette en 4. Assembler les pizzas en étageant la ricotta aux agrumes et le gravlax de saumon sur chaque morceau.

Décorer de tranches d'avocat tempura et de graines de sésame. Servir.

 NOTE DE GENEVIÈVE

Variante bouchées : *Dans des cuillères chinoises, étager la ricotta aux agrumes, un morceau de gravlax et un morceau d'avocat tempura. La bouchée parfaite !*

PANGASIUS ET MANGUE

 POUR 2 ASSIETTES

INGRÉDIENTS

POISSON FRIT

Pangasius coupé en cubes de 2 cm

1/2 tasse de mélange à tempura (voir p. 10)

1 c. à soupe de pâte de cari

1 pincée de fleur de sel

1 c. à soupe de miel

BASE DE RIZ

2 tasses de riz à sushi cuit (voir p. 10)

GARNITURE

2 c. à soupe de mayonnaise épicée (voir p. 13)

1/2 mangue coupée en petits cubes

DÉCORATION

Sauce thaïe, au goût

Oignons verts ciselés, au goût

PRÉPARATION

POISSON FRIT

Enrober le pangasius de mélange à tempura et de pâte de cari.

Dans un bain d'huile ou une friteuse à 350 °F, frire le pangasius environ 2 minutes. Bien égoutter et déposer sur du papier absorbant. Ajouter la fleur de sel et le miel sur les morceaux frits.

ASSEMBLAGE ET DÉCORATION

Assembler les assiettes en étageant dans chacune 1 tasse de riz, la mayonnaise épicée, le poisson frit et la mangue.

Décorer de sauce thaïe et d'oignons verts. Servir.

 NOTE DE GENEVIÈVE

Ici, j'ai voulu varier de la galette frite. Mais si vous préférez rester classique, c'est tout aussi bon avec la galette normale.

PATATE DOUCE ET PANGASIUS

POUR 2 PIZZAS (8 MORCEAUX)

INGRÉDIENTS

GALETTES

2 tasses de riz à sushi cuit (voir p. 10)

Mélange à tempura (voir p. 10)

Panko

PURÉE DE PATATE DOUCE

1 patate douce cuite

1 c. à soupe de jus de citron

2 c. à soupe de crème à cuisson 15 %

75 g de fromage de chèvre

1 pincée de fleur de sel

RÉDUCTION DE GRENADE ET D'ORANGE

1/4 de tasse de jus de grenade

1/4 de tasse de jus d'orange

1 morceau de racine de gingembre épluché

POISSON

400 g de pangasius

1 c. à soupe de beurre

1 c. à thé de sauce hoisin

1 pincée de fleur de sel

DÉCORATION

Arilles de grenade, au goût

PRÉPARATION

GALETTES

Façonner 2 galettes avec le riz. Enrober les galettes de mélange à tempura, puis de panko.

Dans un bain d'huile ou une friteuse à 350 °F, frire les galettes jusqu'à ce qu'elles soient dorées et croustillantes. Bien égoutter et déposer sur du papier absorbant.

PURÉE DE PATATE DOUCE

Dans un bol, mélanger au mélangeur à main la chair de patate douce, le jus de citron, la crème, le fromage de chèvre et la fleur de sel. Réserver au chaud.

RÉDUCTION DE GRENADE ET D'ORANGE

Dans une casserole, faire chauffer les ingrédients de la réduction de grenade et d'orange à feu moyen. Laisser frémir jusqu'à ce que le mélange soit réduit de moitié.

POISSON

Dans une poêle, faire griller le pangasius dans le beurre et la sauce hoisin. Ajouter la fleur de sel. Défaire le pangasius en flocons.

ASSEMBLAGE ET DÉCORATION

Couper chaque galette en 2. Assembler les pizzas en étageant la purée de patate douce, le poisson et la réduction de grenade et d'orange sur chaque morceau.

Décorer d'arilles de grenade. Servir.

NOTE DE GENEVIÈVE

Variante repas : *Tripler la recette de purée de patate douce et la servir simplement dans une assiette avec le poisson grillé. Voilà, votre souper est prêt !*

PIZZ-AVOCAT ET TARTARE DE THON

 POUR 2 DEMI-AVOCATS FARCIS

INGRÉDIENTS

MARINADE

1/2 tasse de sirop d'érable

1/4 de tasse de sauce tamari

1/4 de tasse de sauce soya à sushi

1 c. à soupe de graines de sésame noires et blanches

1 filet d'huile de sésame

THON

260 g de thon rouge coupé en petits cubes ou 2 tubes Sushi à la maison

SALADE DE CHOU ÉPICÉE

1 tasse de chou rouge finement haché

1 filet d'huile d'olive

1 filet d'huile de sésame

1 pincée de fleur de sel

Sambal oelek, au goût

AVOCAT FRIT

1 avocat

Mélange à tempura (voir p. 10)

Panko

Fleur de sel, au goût

DÉCORATION

Mayonnaise épicée (voir p. 13), au goût

Pacanes grillées hachées, au goût

PRÉPARATION

MARINADE

Dans un bol, mélanger tous les ingrédients de la marinade.

THON

Dans un plat, enrober le thon de la marinade et mettre au réfrigérateur environ 2 h.

SALADE DE CHOU ÉPICÉE

Dans un bol, mélanger les ingrédients de la salade de chou épicée.

AVOCAT FRIT

Peler et couper l'avocat en 2. Enlever le noyau. Refermer l'avocat.

Enrober l'avocat de mélange à tempura, puis de panko.

Dans un bain d'huile ou une friteuse à 350 °F, frire l'avocat jusqu'à ce qu'il soit doré et croustillant. Bien égoutter et déposer sur du papier absorbant. Saupoudrer de fleur de sel. Séparer l'avocat en 2.

ASSEMBLAGE ET DÉCORATION

Assembler les pizzas en déposant le mélange de thon et la salade de chou dans chaque demi-avocat.

Décorer de mayonnaise épicée, de pacanes et de graines de sésame. Servir.

QUATRE CHAMPIGNONS ET FOIE GRAS

POUR 2 PIZZAS (8 MORCEAUX)

INGRÉDIENTS

GALETTES
2 tasses de riz à sushi cuit (voir p. 10)

Mélange à tempura (voir p. 10)

Panko

GARNITURE
1/3 de tasse de champignons Oyster

1/3 de tasse de champignons de Paris

1/3 de tasse de champignons café

1/3 de tasse de champignons shiitakes

1 c. à soupe de beurre

1 pincée de fleur de sel

1 sachet de sauce demi-glace du commerce

Foie gras (ou parfait de foie gras), au goût

200 g de saumon frais coupé en sashimi

200 g de thon frais coupé en sashimi

PRÉPARATION

GALETTES
1. Façonner 2 galettes avec le riz. Enrober les galettes de mélange à tempura, puis de panko.

2. Dans un bain d'huile ou une friteuse à 350 °F, frire les galettes jusqu'à ce qu'elles soient dorées et croustillantes. Bien égoutter et déposer sur du papier absorbant.

GARNITURE
3. Dans une poêle, faire revenir les champignons dans le beurre quelques minutes. Ajouter de la fleur de sel.

4. Dans une petite casserole, préparer la sauce demi-glace en suivant les instructions sur l'emballage.

5. Dans une poêle, faire dorer un morceau de foie gras. Ajouter de la fleur de sel.

ASSEMBLAGE
6. Couper chaque galette en 2. Assembler les pizzas en étageant le foie gras, les sashimis de saumon et de thon, les champignons poêlés et la sauce demi-glace sur chaque morceau. Servir chaud.

NOTE DE GENEVIÈVE

Variante tartine : *Faire le même assemblage, mais sur une tranche de pain brioché grillée et bien chaude.*

ROMEO'S GRAVLAX

POUR 2 PIZZAS (8 MORCEAUX)

INGRÉDIENTS

GALETTES
2 tasses de riz à sushi cuit (voir p. 10)

Mélange à tempura (voir p. 10)

Panko

GRAVLAX
1 c. à soupe de gin Romeo's

1 c. à soupe de moutarde fumée à l'érable

1/4 de tasse de gros sel

1/4 de tasse de sucre

1 c. à soupe de sirop d'érable

500 g de filet de saumon frais avec la peau

LÉGUMES MARINÉS
1 concombre libanais coupé en rubans

1 petite carotte coupée en rubans

3 radis coupés en fines tranches

200 ml de vinaigre de riz assaisonné

1 c. à soupe de sucre

CRÈME FRAÎCHE AUX AGRUMES
3 c. à soupe de crème fraîche

Le zeste de 1/4 d'orange

Le zeste de 1/4 de citron

1 c. à soupe de jus d'orange

SALADE DE ROQUETTE
1/2 tasse de roquette

1 filet d'huile d'olive

1 pincée de fleur de sel

DÉCORATION
Croustilles de noix de coco grillée, au goût

Zeste d'orange, au goût

PRÉPARATION

GALETTES

1 Façonner 2 galettes avec le riz. Enrober les galettes de mélange à tempura, puis de panko.

2 Dans un bain d'huile ou une friteuse à 350 °F, frire les galettes jusqu'à ce qu'elles soient dorées et croustillantes. Bien égoutter et déposer sur du papier absorbant.

GRAVLAX

3 Dans un plat, mélanger le gin, la moutarde fumée à l'érable, le gros sel, le sucre et le sirop d'érable.

4 Envelopper le filet de saumon de la préparation et laisser reposer au réfrigérateur 48 heures. Avant de servir, bien rincer le filet de saumon à l'eau et éponger pour retirer l'excédent d'eau. Trancher finement.

LÉGUMES MARINÉS

5 Dans un bol, mélanger les ingrédients des légumes marinés. Réserver au frais au moins 1 heure. Égoutter.

CRÈME FRAÎCHE AUX AGRUMES

6 Dans un bol, mélanger les ingrédients de la crème fraîche aux agrumes.

SALADE DE ROQUETTE

7 Dans un bol, mélanger les ingrédients de la salade de roquette.

ASSEMBLAGE ET DÉCORATION

8 Sur les galettes, assembler les pizzas en étageant la crème fraîche aux agrumes, les légumes marinés, les tranches de gravlax et la salade de roquette.

9 Décorer de croustilles de noix de coco grillée et de zeste d'orange. Servir.

61

NOTE DE GENEVIÈVE

Variante entrée : *Disposer le gravlax et les légumes marinés sur une grande planche de présentation pour une entrée délicieuse.*

SAUMON AUX NOIX

POUR 2 PIZZAS (8 MORCEAUX)

INGRÉDIENTS

GALETTES

2 tasses de riz à sushi cuit (voir p. 10)

Mélange à tempura (voir p. 10)

Amandes tranchées

GARNITURE AU SAUMON

300 g de saumon frais coupé en petits cubes

100 g de saumon fumé à froid coupé en petits morceaux

1/4 de tasse de noisettes grillées hachées

1/4 de tasse de petits bleuets entiers ou de gros bleuets coupés en 2

2 c. à soupe d'oignons verts ciselés

2 c. à soupe de mayonnaise japonaise

1 filet d'huile de sésame

1 c. à thé de sauce tamari

1 pincée de fleur de sel

DÉCORATION

Graines de sésame noires, au goût

PRÉPARATION

GALETTES

Façonner 2 galettes avec le riz. Enrober les galettes de mélange à tempura, puis d'amandes tranchées.

Dans un bain d'huile ou une friteuse à 350 °F, frire les galettes jusqu'à ce qu'elles soient dorées et croustillantes. Bien égoutter et déposer sur du papier absorbant.

GARNITURE AU SAUMON

Dans un bol, mélanger les ingrédients de la garniture au saumon.

ASSEMBLAGE ET DÉCORATION

Couper chaque galette en 4. Assembler les pizzas en déposant la garniture au saumon sur chaque morceau.

Décorer de graines de sésame. Servir.

NOTE DE GENEVIÈVE

Variante poke : *Dans un bol, déposer du riz à sushi cuit, la garniture au saumon et des amandes tranchées. Voilà un poke vite fait ! Merci, bonsoir !*

SAUMON ET BLEUETS AUX HERBES DE PROVENCE

POUR 2 PIZZAS (8 MORCEAUX)

INGRÉDIENTS

GALETTES

2 tasses de riz à sushi cuit (voir p. 10)

Mélange à tempura (voir p. 10)

Panko

GARNITURE AU SAUMON

300 g de pavé de saumon fondant Sushi à la maison grossièrement émietté

1/4 de tasse de bleuets entiers ou coupés en 2

1/8 de tasse de pacanes hachées grillées

1/8 de tasse d'amandes hachées grillées

1 filet d'huile d'olive

1 c. à soupe de mayonnaise aux herbes de Provence (voir p. 13)

1 pincée de fleur de sel

DÉCORATION

3 c. à soupe de mayonnaise aux herbes de Provence (voir p. 13)

PRÉPARATION

GALETTES

Façonner 2 galettes avec le riz. Enrober les galettes de mélange à tempura, puis de panko.

Dans un bain d'huile ou une friteuse à 350 °F, frire les galettes jusqu'à ce qu'elles soient dorées et croustillantes. Bien égoutter et déposer sur du papier absorbant.

GARNITURE AU SAUMON

Dans un bol, mélanger le saumon fondant, les bleuets, les pacanes, les amandes, l'huile d'olive, la mayonnaise aux herbes de Provence et la fleur de sel.

ASSEMBLAGE ET DÉCORATION

Couper chaque galette en 4. Assembler les pizzas en étageant la mayonnaise aux herbes de Provence et le mélange au saumon fondant sur chaque morceau. Servir.

NOTE DE GENEVIÈVE

Pour vous simplifier la vie, Cusine Poirier offre une savoureuse mayonnaise aux herbes de Provence très facile à trouver dans les IGA, dans la section réfrigérée du rayon fruits et légumes.

Variante bouchée : Sur des croustilles de riz soufflé, étendre un peu de mayonnaise aux herbes de Provence, puis la garniture au saumon fondant.

SAUMON ET CRABE

POUR 2 PIZZAS (8 MORCEAUX)

INGRÉDIENTS

GALETTES

2 tasses de riz à sushi cuit (voir p. 10)

Mélange à tempura (voir p. 10)

2 petites feuilles de riz rondes

GARNITURE AUX FRUITS DE MER

140 g de saumon fumé à froid coupé en petits morceaux

120 g de chair de crabe

1/4 de tasse de mayonnaise à la moutarde de Dijon et au miel (voir p. 12)

1 c. à soupe d'oignons verts ciselés

1 pincée de fleur de sel

DÉCORATION

1/2 avocat coupé en tranches

1/2 mangue coupée en cubes

1/4 de tasse de mayonnaise à la moutarde de Dijon et au miel (voir p. 12)

Masago rouge (œufs de capelan), au goût

PRÉPARATION

GALETTES

Étendre le riz sur les feuilles de riz pour les recouvrir complètement. Enrober les galettes de mélange à tempura.

Dans un bain d'huile ou une friteuse à 350 °F, frire les galettes jusqu'à ce qu'elles soient dorées et croustillantes. Bien égoutter et déposer sur du papier absorbant.

GARNITURE AUX FRUITS DE MER

Dans un bol, mélanger le saumon fumé, le crabe, la mayonnaise, la moutarde de Dijon, les oignons verts, le miel et la fleur de sel.

ASSEMBLAGE ET DÉCORATION

Sur la galette, assembler les pizzas en étageant l'avocat, la garniture aux fruits de mer et la mangue.

Décorer de mayonnaise à la moutarde de Dijon et au miel et de masago rouge. Servir.

NOTE DE GENEVIÈVE

Variante salade : *Déposer la garniture de fruits de mer sur un lit de roquette. C'est un délice !*

SAUMON ET RÉMOULADE DE FENOUIL

 POUR 2 PIZZAS (8 MORCEAUX)

INGRÉDIENTS

GALETTES

2 tasses de riz à sushi cuit (voir p. 10)

Mélange à tempura (voir p. 10)

Panko

RÉMOULADE

Le bulbe d'un fenouil haché finement

2 c. à soupe de mayonnaise

Le jus de 1/2 citron

1 c. à thé d'épices à steak

GARNITURE AU SAUMON

300 g de saumon frais coupé en petits cubes

1/2 tasse de cerises de terre coupées en 4

3 c. à soupe de mayonnaise japonaise

1 c. à soupe de ciboulette hachée

1 pincée de fleur de sel

1 filet d'huile d'olive

DÉCORATION

Fenouil finement tranché, au goût

Tomates cerises jaunes, au goût

PRÉPARATION

GALETTES

Façonner 2 galettes avec le riz. Enrober les galettes de mélange à tempura, puis de panko.

Dans un bain d'huile ou une friteuse à 350 °F, frire les galettes jusqu'à ce qu'elles soient dorées et croustillantes. Bien égoutter et déposer sur du papier absorbant.

RÉMOULADE

Dans un bol, mélanger les ingrédients de la rémoulade. Réserver au réfrigérateur au moins 30 minutes.

GARNITURE AU SAUMON

Dans un bol, mélanger les ingrédients de la garniture au saumon.

ASSEMBLAGE ET DÉCORATION

Sur les galettes, assembler les pizzas en étageant la rémoulade et la garniture au saumon.

Décorer des tranches de fenouil et des tomates cerises. Servir.

 NOTE DE GENEVIÈVE

Variante tartare : *Servir simplement la garniture au saumon accompagnée d'une salade d'épinards et de noix. Un duo santé savoureux.*

68

SAUMON ET TORTILLONS BBQ

POUR 2 PIZZAS (8 MORCEAUX)

INGRÉDIENTS

GALETTES

2 tasses de riz à sushi cuit (voir p. 10)

Mélange à tempura (voir p. 10)

Panko

CHEVEUX D'ANGE DE PATATE DOUCE

1 patate douce coupée en cheveux d'ange

1 pincée de fleur de sel

GARNITURE AU SAUMON

300 g de saumon frais coupé en petits cubes

100 g de saumon fumé à froid coupé en petits morceaux

1/4 de tasse de tortillons barbecue hachés

1/4 de tasse de mangue coupée en petits cubes

2 c. à soupe d'oignons verts ciselés

3 c. à soupe de mayonnaise épicée (voir p. 13)

DÉCORATION

1 c. à soupe de mayonnaise épicée (voir p. 13)

Cheveux d'ange de patate douce, au goût

PRÉPARATION

GALETTES

1. Façonner 2 galettes avec le riz. Enrober les galettes de mélange à tempura, puis de panko.

2. Dans un bain d'huile ou une friteuse à 350 °F, frire les galettes jusqu'à ce qu'elles soient dorées et croustillantes. Bien égoutter et déposer sur du papier absorbant.

CHEVEUX D'ANGE DE PATATE DOUCE

3. Dans un bain d'huile ou une friteuse à 350 °F, frire les juliennes de patate douce 1 ou 2 minutes jusqu'à ce qu'elles soient dorées et croustillantes. Bien égoutter et déposer sur du papier absorbant. Ajouter de la fleur de sel.

GARNITURE AU SAUMON

4. Dans un bol, mélanger les ingrédients de la garniture au saumon.

ASSEMBLAGE ET DÉCORATION

5. Sur les galettes, assembler les pizzas en étageant la mayonnaise épicée et la garniture au saumon.

6. Décorer de cheveux d'ange de patate douce. Servir.

 NOTE DE GENEVIÈVE

Variante tartare : *Servir simplement la garniture au saumon avec les cheveux d'ange de patate douce. C'est délicieux x 10 000 !*

SAUMON FUMÉ ET ASPERGES

POUR 2 PIZZAS (8 MORCEAUX)

INGRÉDIENTS

GALETTES

2 tasses de riz à sushi cuit (voir p. 10)

Mélange à tempura (voir p. 10)

Panko

GARNITURE

8 tranches de prosciutto

6 asperges coupées en petits morceaux

2 c. à soupe de beurre

Le jus de 1/2 citron

3 c. à soupe de fromage à la crème fouetté à la ciboulette

4 tranches de saumon fumé

DÉCORATION

Graines de sésame noires, au goût

PRÉPARATION

Préchauffer le four à 350 °F.

GALETTES

Façonner 2 galettes avec le riz. Enrober les galettes de mélange à tempura, puis de panko.

Dans un bain d'huile ou une friteuse à 350 °F, frire les galettes jusqu'à ce qu'elles soient dorées et croustillantes. Bien égoutter et déposer sur du papier absorbant.

GARNITURE

Déposer les tranches de prosciutto sur une plaque de cuisson et les cuire au four pendant environ 5 minutes, ou jusqu'à ce qu'elles soient croustillantes. Dans une poêle, faire revenir les asperges dans le beurre et le jus de citron jusqu'à ce que la cuisson soit al dente.

ASSEMBLAGE ET DÉCORATION

Couper chaque galette en 2. Assembler les pizzas en étageant le fromage à la crème, le prosciutto, le saumon fumé et les asperges au beurre sur chaque morceau.

Décorer de graines de sésame. Servir.

NOTE DE GENEVIÈVE

Variante accompagnement : *Doubler la quantité d'asperges. Cuire les asperges et les enrouler dans le saumon fumé. Émietter le prosciutto et le parsemer sur les asperges. Garnir de fromage à la crème fouetté à la ciboulette. Savoureux !*

SAUMON KUMQUAT

 POUR 2 PIZZAS (8 MORCEAUX)

INGRÉDIENTS

GALETTES

2 tasses de riz à sushi cuit (voir p. 10)

Mélange à tempura (voir p. 10)

GARNITURE AU SAUMON

200 g de saumon frais coupé en petits cubes

200 g de saumon fumé à froid coupé en petits morceaux

1/4 de tasse de tortillons salés hachés

1/4 de tasse de mangue coupée en petits cubes

1 c. à soupe d'oignons verts ciselés

1 kumquat finement haché

1 filet d'huile d'olive

2 c. à soupe de mayonnaise épicée (voir p. 13)

1 pincée de fleur de sel

DÉCORATION

2 kumquats coupés en 2

Mayonnaise épicée (voir p. 13), au goût

Coriandre (ou autre herbe de votre choix), au goût

PRÉPARATION

GALETTES

Façonner 2 galettes avec le riz. Enrober les galettes de mélange à tempura.

Dans un bain d'huile ou une friteuse à 350 °F, frire les galettes jusqu'à ce qu'elles soient dorées et croustillantes. Bien égoutter et déposer sur du papier absorbant.

GARNITURE AU SAUMON

Dans un bol, mélanger les ingrédients de la garniture.

ASSEMBLAGE ET DÉCORATION

Assembler les pizzas en déposant la garniture sur les galettes.

Décorer des kumquats, de mayonnaise épicée et de coriandre. Servir.

 NOTE DE GENEVIÈVE

Agrume + croquant + salé = ma combinaison de goûts préférés !

Variante tartare : *Mouler la garniture au saumon à l'emporte-pièce et voilà un beau repas de tartare !*

SAUMON-PAPAYE-PONZU

INGRÉDIENTS

GALETTES

2 tasses de riz à sushi cuit (voir p. 10)

Mélange à tempura (voir p. 10)

Panko

SALADE DE LÉGUMES CROQUANTS

1/2 tasse de rubans de carotte

1/2 tasse de rubans de concombre

1 tasse de rubans de papaye verte

1/2 tasse de rubans de daikon

1/3 de tasse de vinaigrette ponzu (voir p. 13)

SASHIMIS DE SAUMON

250 g de saumon frais coupé en sashimis

DÉCORATION

Oignons verts ciselés, au goût

PRÉPARATION

GALETTES

Façonner 2 galettes avec le riz. Enrober les galettes de mélange à tempura, puis de panko.

Dans un bain d'huile ou une friteuse à 350 °F, frire les galettes jusqu'à ce qu'elles soient dorées et croustillantes. Bien égoutter et déposer sur du papier absorbant.

SALADE DE LÉGUMES CROQUANTS

Dans un bol, mélanger les ingrédients de la salade de légumes croquants. Réserver au réfrigérateur au moins 30 minutes, idéalement 1 heure 30.

ASSEMBLAGE ET DÉCORATION

Sur les galettes, assembler les pizzas en étageant les sashimis de saumon et la salade de légumes croquants.

Décorer d'oignons verts. Servir.

NOTE DE GENEVIÈVE

Pas envie de couper le poisson ? Essayez mes sashimis Sushi à la maison en vente dans les IGA. Rien n'est plus simple !

Cette petite salade vous fera vive beaucoup d'émotions ! Vous en revoudrez !

Variante sashimi : *Dans une assiette, déposer simplement le saumon et garnir de la folle et délicieuse salade croquante et de sa vinaigrette. Un gros oui !*

SAUMON, POIREAUX ET CHÈVRE

 POUR 2 PIZZAS (8 MORCEAUX)

INGRÉDIENTS

GALETTES
2 tasses de riz à sushi cuit (voir p. 10)

Mélange à tempura (voir p. 10)

Panko

POIREAUX
1 poireau coupé en rondelles

1 c. à soupe de beurre

400 ml de lait de coco

GARNITURE AU SAUMON
250 g de saumon frais coupé en petits cubes

1 c. à thé de sauce soya à sushi

1 c. à soupe de mayonnaise

1/2 c. à thé de sambal oelek

1 pincée de fleur de sel

DÉCORATION
3 c. à soupe de fromage de chèvre nature

Mayonnaise épicée (voir p. 13), au goût

Graines de sésame noires et blanches, au goût

Masago rouge (œufs de capelan), au goût

PRÉPARATION

GALETTES
Façonner 2 galettes avec le riz. Enrober les galettes de mélange à tempura, puis de panko.

Dans un bain d'huile ou une friteuse à 350 °F, frire les galettes jusqu'à ce qu'elles soient dorées et croustillantes. Bien égoutter et déposer sur du papier absorbant.

POIREAUX
Dans une poêle, faire revenir les rondelles de poireaux dans le beurre environ de 5 à 7 minutes à feu moyen-vif. Ajouter le lait de coco et laisser frémir jusqu'à ce que la préparation devienne bien crémeuse.

GARNITURE AU SAUMON
Dans un bol, mélanger le saumon, la sauce soya, la mayonnaise, le sambal oelek et la fleur de sel.

ASSEMBLAGE ET DÉCORATION
Sur les galettes, assembler les pizzas en étageant le fromage de chèvre, les poireaux et la garniture au saumon.

Décorer de mayonnaise épicée, de graines de sésame et de masago rouge. Servir.

SAUMON TERIYAKI

POUR 2 PIZZAS (8 MORCEAUX)

INGRÉDIENTS

SAUMON TERIYAKI ET LIME

400 g de saumon

3 c. à soupe de sauce teriyaki

Le jus de 1/2 lime

GALETTES

2 tasses de riz à sushi cuit (voir p. 10)

Mélange à tempura (voir p. 10)

Panko

RICOTTA AUX AGRUMES

1 tasse de fromage ricotta

Le zeste de 1/2 citron

Le zeste de 1/2 lime

Le zeste de 1/2 orange

1 c. à soupe de gingembre haché

1 pincée de fleur de sel

AVOCAT FRIT

1 avocat coupé en tranches

Mélange à tempura (voir p. 10)

Panko

Fleur de sel, au goût

DÉCORATION

1 filet de sauce teriyaki

PRÉPARATION

SAUMON TERIYAKI ET LIME

Dans un plat, faire mariner le saumon dans la sauce teriyaki et le jus de lime pendant 1 heure.

Dans une poêle, faire griller le saumon à feu moyen jusqu'à la cuisson désirée. (Mi-cuit, c'est délicieux.)

GALETTES

Façonner 2 galettes avec le riz. Enrober les galettes de mélange à tempura, puis de panko.

Dans un bain d'huile ou une friteuse à 350 °F, frire les galettes jusqu'à ce qu'elles soient dorées et croustillantes. Bien égoutter et déposer sur du papier absorbant.

RICOTTA AUX AGRUMES

Dans un bol, mélanger les ingrédients de la ricotta aux agrumes.

AVOCAT FRIT

Enrober les tranches d'avocat de mélange à tempura, puis de panko.

Dans un bain d'huile ou une friteuse à 350 °F, frire les tranches d'avocat jusqu'à ce qu'elles soient dorées et croustillantes. Bien égoutter et déposer sur du papier absorbant. Saler légèrement. Couper les tranches d'avocat en petits morceaux.

ASSEMBLAGE ET DÉCORATION

Couper chaque galette en 4. Assembler les pizzas en étageant la ricotta aux agrumes, le saumon et l'avocat frit sur chaque morceau.

Décorer de sauce teriyaki. Servir.

Variante pasta : *Mélanger des linguinis cuits avec la ricotta aux agrumes. Garnir de saumon teriyaki et d'avocat frit. Ouiiii !*

SEARRANO FRIT ET FIGUES

INGRÉDIENTS

GALETTES

2 tasses de riz à sushi cuit (voir p. 10)

1 c. à soupe de beurre

SAUCE

1/4 de tasse de sauce tamari

1/4 de tasse de sirop d'érable

GARNITURE AU SAUMON SEARRANO

85 g de charcuterie de saumon Searrano Sushi à la maison défaite en tranches

4 figues coupées en petits cubes

1 c. à soupe de graines de sésame blanches

1 c. à soupe de miel

1 pincée de fleur de sel

DÉCORATION

Graines de sésame blanches, au goût

PRÉPARATION

GALETTES

1. Façonner 2 galettes avec le riz.

2. Dans une poêle, faire dorer les galettes des 2 côtés dans le beurre.

SAUCE

3. Dans un bol, mélanger les ingrédients pour la sauce.

GARNITURE AU SAUMON SEARRANO

4. Dans un bain d'huile ou une friteuse à 350 °F, frire la charcuterie de saumon Searrano environ 1 minute en surveillant. Bien égoutter et déposer sur du papier absorbant. Émietter grossièrement et réserver.

5. Dans un bol, mélanger les figues, le saumon Searrano frit, les graines de sésame, le miel et la fleur de sel. Ajouter la sauce, en réservant 1 c. à soupe pour la décoration.

ASSEMBLAGE ET DÉCORATION

6. Assembler les pizzas en déposant la garniture au saumon Searrano sur les galettes.

7. Décorer de graines de sésame blanches et de la sauce réservée. Servir.

 NOTE DE GENEVIÈVE

Du Searrano frit ! OMG, ça goûte le bacon !

Variante salade : *Servir la garniture au saumon Searrano sur un lit de roquette avec un peu de sauce.*

SÉSAME FRUITÉ

POUR 2 PIZZAS (8 MORCEAUX)

INGRÉDIENTS

GALETTES

2 tasses de riz à sushi cuit (voir p. 10)

Mélange à tempura (voir p. 10)

Graines de sésame noires et blanches

RÉMOULADE

1/2 céleri-rave coupé en juliennes

2 c. à soupe de mayonnaise

Le jus de 1/2 citron

1 c. à thé d'épices à steak

GARNITURE AU SAUMON

200 g de saumon frais coupé en petits cubes

200 g de pépites de saumon fumé à l'érable Sushi à la maison effilochées

1/4 de tasse de noisettes grillées

1/4 de tasse d'arilles de grenade

3 c. à soupe de mayonnaise épicée (voir p. 13)

1 pincée de fleur de sel

PRÉPARATION

GALETTES

Façonner 2 galettes avec le riz. Enrober les galettes de mélange à tempura, puis de graines de sésame.

Dans un bain d'huile ou une friteuse à 350 °F, frire les galettes jusqu'à ce qu'elles soient dorées et croustillantes. Bien égoutter et déposer sur du papier absorbant.

RÉMOULADE

Dans un bol, mélanger les ingrédients de la rémoulade. Réserver au réfrigérateur au moins 30 minutes.

GARNITURE AU SAUMON

Dans un bol, mélanger les ingrédients de la garniture au saumon.

ASSEMBLAGE

Couper chaque galette en 2. Assembler les pizzas en étageant la garniture au saumon et la rémoulade sur chaque morceau. Servir.

NOTE DE GENEVIÈVE

Variante bouchée : *Déposer la garniture au saumon sur des craquelins de sésame. La magie opérera !*

SUNSH-INDE

POUR 2 PIZZAS (8 MORCEAUX)

INGRÉDIENTS

GALETTES

2 tasses de riz à sushi cuit (voir p. 10)

Mélange à tempura (voir p. 10)

Panko

GARNITURE AU SAUMON

300 g de pavé de saumon fondant Sushi à la maison effiloché

1 c. à soupe de mayonnaise

1 pincée de fleur de sel

1 avocat coupé en fines tranches

10 morceaux de mandarines en conserve

DÉCORATION

2 c. à soupe de fromage de chèvre défait en morceaux

1/4 de tasse de mayonnaise au cari
(voir p. 12)

Pousses de tournesol, au goût

PRÉPARATION

GALETTES

Façonner 2 galettes avec le riz. Enrober les galettes de mélange à tempura, puis de panko.

Dans un bain d'huile ou une friteuse à 350 °F, frire les galettes jusqu'à ce qu'elles soient dorées et croustillantes. Bien égoutter et déposer sur du papier absorbant.

GARNITURE AU SAUMON

Dans un bol, mélanger le saumon fondant avec la mayonnaise et la fleur de sel. Ajouter délicatement les mandarines.

ASSEMBLAGE ET DÉCORATION

Sur les galettes, assembler les pizzas en étageant l'avocat, la garniture au saumon, les mandarines, le fromage de chèvre et la mayonnaise au cari.

Décorer de pousses de tournesol. Servir.

86

NOTE DE GENEVIÈVE

Mon adorable amie Jessie n'avait JAMAIS mangé de pizza sushi. Je l'ai audacieusement mise au défi d'en créer une ! Résultat approuvé par elle et moi !

TERIYAKI ET CONCOMBRE

INGRÉDIENTS

SAUMON TERIYAKI ET LIME

400 g de saumon

3 c. à soupe de sauce teriyaki

Le jus de 1/2 lime

GALETTES

2 tasses de riz à sushi cuit (voir p. 10)

Mélange à tempura (voir p. 10)

Panko

GARNITURE

1 patate douce coupée en juliennes

1 pincée de fleur de sel

1/2 concombre anglais coupé en tranches

2 c. à soupe de sauce teriyaki

2 c. à soupe de mayonnaise épicée (voir p. 13)

DÉCORATION

Masago rouge (œufs de capelan), au goût

Graines de sésame noires et blanches, au goût

PRÉPARATION

SAUMON TERIYAKI ET LIME

1. Dans un plat, faire mariner le saumon dans la sauce teriyaki et le jus de lime pendant 1 heure.

2. Dans une poêle, faire griller le saumon à feu moyen jusqu'à la cuisson désirée.

GALETTES

3. Façonner 2 galettes avec le riz. Enrober les galettes de mélange à tempura, puis de panko.

4. Dans un bain d'huile ou une friteuse à 350 °F, frire les galettes jusqu'à ce qu'elles soient dorées et croustillantes. Bien égoutter et déposer sur du papier absorbant.

GARNITURE

5. Dans un bain d'huile ou une friteuse à 350 °F, frire les juliennes de patate douce de 1 à 2 minutes. Bien égoutter et déposer sur du papier absorbant. Ajouter de la fleur de sel.

ASSEMBLAGE ET DÉCORATION

6. Couper chaque galette en 4. Assembler les pizzas en étageant le concombre, la patate douce, le saumon, la sauce teriyaki et la mayonnaise épicée sur chaque morceau.

7. Décorer de masago rouge et de graines de sésame noires et blanches. Servir.

 NOTE DE GENEVIÈVE

Variante repas : *Servir le saumon rôti teriyaki sur un nid de riz serait tout aussi wow !*

THON BOUILLON

POUR 2 PIZZAS (8 MORCEAUX)

INGRÉDIENTS

GALETTES
2 tasses de riz à sushi cuit (voir p. 10)

Mélange à tempura (voir p. 10)

Panko

SAUCE
1/4 de tasse de sirop d'érable

1/4 de tasse de sauce tamari

1 filet d'huile de sésame

1 c. à thé de gingembre haché

1 c. à soupe de sauce ponzu

1/4 de tasse de graines de sésame noires et blanches

THON
300 g de thon

1/4 de tasse de graines de sésame blanches

DÉCORATION
2 c. à soupe de mayonnaise épicée (voir p. 13)

PRÉPARATION

GALETTES
1. Façonner 2 galettes avec le riz. Enrober les galettes de mélange à tempura, puis de panko.

2. Dans un bain d'huile ou une friteuse à 350 °F, frire les galettes jusqu'à ce qu'elles soient dorées et croustillantes. Bien égoutter et déposer sur du papier absorbant.

SAUCE
3. Dans un bol, mélanger le sirop d'érable, la sauce tamari, l'huile de sésame, le gingembre, la sauce ponzu et les graines de sésame noires et blanches.

THON
4. Enrober le morceau de thon de graines de sésame blanches. Dans une poêle, saisir le thon à feu vif. Attention de ne pas cuire jusqu'au centre.

5. Laisser reposer le thon environ 2 minutes, puis couper en tranches.

ASSEMBLAGE ET DÉCORATION
6. Verser la sauce dans le fond des assiettes. Et y déposer les galettes.

7. Sur les galettes, assembler les pizzas en étageant la mayonnaise épicée et le tataki de thon. Servir.

NOTE DE GENEVIÈVE

Essayez mes fines tranches de tataki de thon Sushi à la maison en vente dans les IGA. C'est divin, vous verrez !

Tout est wow : le riz imbibé de la sauce, l'onctuosité de la mayonnaise. Et que dire du tataki ?

THON *SUMMER TIME*

POUR 2 PIZZAS (8 MORCEAUX)

INGRÉDIENTS

CONCOMBRE MARINÉ

1/2 concombre anglais tranché en rubans

1/4 de tasse de vinaigre de riz

1 c. à thé de sucre

GALETTES

2 tasses de riz à sushi cuit (voir p. 10)

Mélange à tempura (voir p. 10)

Panko

SALSA DE MANGUE

1 mangue coupée en petits cubes

2 c. à soupe de sauce chili thaïe sucrée

1 pincée de fleur de sel

TATAKI DE THON

300 g de thon

1/4 de tasse de graines de sésame noires et blanches

DÉCORATION

Mayonnaise au sésame (voir p. 13),
au goût

PRÉPARATION

CONCOMBRE MARINÉ

Dans un bol, faire mariner le concombre dans le vinaigre de riz et le sucre. Réserver au réfrigérateur au moins 1 heure.

GALETTES

Façonner 2 galettes avec le riz. Enrober les galettes de mélange à tempura, puis de panko.

Dans un bain d'huile ou une friteuse à 350 °F, frire les galettes jusqu'à ce qu'elles soient dorées et croustillantes. Bien égoutter et déposer sur du papier absorbant.

SALSA DE MANGUE

Dans un bol, mélanger tous les ingrédients pour la salsa de mangue.

TATAKI DE THON

Enrober le morceau de thon dans les graines de sésame. Dans une poêle, saisir le thon à feu vif. Attention de ne pas cuire jusqu'au centre.

Laisser reposer le thon environ 2 minutes, puis couper en tranches.

ASSEMBLAGE ET DÉCORATION

Sur les galettes, assembler les pizzas en étageant la salsa de mangue, le tataki de thon et le concombre mariné.

Décorer de mayonnaise au sésame. Servir.

NOTE DE GENEVIÈVE

Variante entrée : *Déposer le tataki de thon dans une jolie assiette. Décorer de salsa de mangue et de concombre mariné. Une super entrée épatante !*

THON WAZAA !

POUR 2 PIZZAS (8 MORCEAUX)

INGRÉDIENTS

GALETTES

2 tasses de riz à sushi cuit (voir p. 10)

Mélange à tempura (voir p. 10)

Panko

GARNITURE AU THON

260 g de thon coupé en petits cubes ou 2 tubes Sushi à la maison

1 filet d'huile d'olive

1 pincée de fleur de sel

DÉCORATION

1/4 de tasse de mayonnaise au wasabi et à l'orange (voir p. 13)

Fines tranches de pomme verte, au goût

Zeste d'orange, au goût

PRÉPARATION

GALETTES

1. Façonner 2 galettes avec le riz. Enrober les galettes de mélange à tempura, puis de panko.

2. Dans un bain d'huile ou une friteuse à 350 °F, frire les galettes jusqu'à ce qu'elles soient dorées et croustillantes. Bien égoutter et déposer sur du papier absorbant.

GARNITURE AU THON

3. Dans un bol, mélanger les ingrédients de la garniture au thon.

ASSEMBLAGE ET DÉCORATION

4. Sur les galettes, assembler les pizzas en étageant la mayonnaise et la garniture au thon.

5. Décorer des tranches de pomme verte et du zeste d'orange. Servir.

NOTE DE GENEVIÈVE

Variante bouchée : Déposer la garniture au thon sur des croustilles de riz soufflé. Bonheur !

TRIO DE SAUMONS ET BOURSIN

 POUR 2 PIZZAS (8 MORCEAUX)

INGRÉDIENTS

GALETTES

2 tasses de riz à sushi cuit (voir p. 10)

Mélange à tempura (voir p. 10)

Panko

Graines de sésame noires et blanches

GARNITURE AUX SAUMONS

100 g de saumon fumé à froid coupé en petits morceaux

130 g de saumon frais coupé en petits cubes ou 1 tube Sushi à la maison

130 g de pépites de saumon fumé à chaud Sushi à la maison effilochées

1 c. à soupe d'oignons verts

2 c. à soupe de mayonnaise épicée (voir p. 13)

1 pincée de fleur de sel

DÉCORATION

1/3 de tasse de fromage Boursin à l'ail et aux fines herbes

1/2 pomme verte coupée en juliennes

Mayonnaise épicée (voir p. 13), au goût

PRÉPARATION

GALETTES

Façonner 2 galettes avec le riz. Enrober les galettes de mélange à tempura, puis de panko et de graines de sésame.

Dans un bain d'huile ou une friteuse à 350 °F, frire les galettes jusqu'à ce qu'elles soient dorées et croustillantes. Bien égoutter et déposer sur du papier absorbant.

GARNITURE AUX SAUMONS

Dans un bol, mélanger le saumon fumé à froid, le saumon frais, les pépites de saumon fumé à chaud, les oignons verts, la mayonnaise épicée et la fleur de sel.

ASSEMBLAGE ET DÉCORATION

Sur les galettes, assembler les pizzas en étageant le fromage Boursin et la garniture au saumon.

Décorer de pomme verte, de mayonnaise épicée et de fromage Boursin. Servir.

 NOTE DE GENEVIÈVE

Variante verrine : *Faire l'assemblage dans des verrines ou des ramequins.*

02 PIZZAS AUX FRUITS DE MER

CALMARS BOK CHOY

INGRÉDIENTS

GALETTES

2 tasses de riz à sushi cuit (voir p. 10)

Mélange à tempura (voir p. 10)

BOK CHOY

4 bok choy coupés en morceaux

1 filet d'huile d'olive

Le jus de 1/2 citron

Fleur de sel, au goût

CALMARS

340 g de calmars

1 c. à soupe de beurre

1 c. à thé d'ail haché

DÉCORATION

3 c. à soupe de pesto de roquette maison ou du commerce

Feuilles de fenouil, au goût

PRÉPARATION

GALETTES

Façonner 2 galettes avec le riz. Enrober les galettes de mélange à tempura.

Dans un bain d'huile ou une friteuse à 350 °F, frire les galettes jusqu'à ce qu'elles soient dorées et croustillantes. Bien égoutter et déposer sur du papier absorbant.

BOK CHOY

Dans une poêle, faire griller le bok choy à feu moyen avec de l'huile d'olive et le jus de citron. Saler légèrement. Réserver dans une assiette.

CALMARS

Dans la même poêle, faire griller les calmars dans le beurre et l'ail.

ASSEMBLAGE ET DÉCORATION

Sur les galettes, assembler les pizzas en étageant le pesto de roquette, le bok choy et les calmars.

Décorer de feuilles de fenouil. Servir.

 NOTE DE GENEVIÈVE

Ça vaut vraiment la peine d'essayer cette recette sur les galettes de chou-fleur (voir p. 6) !

Le pesto de roquette est de plus en plus facile à trouver dans les supermarchés. Sinon, ça peut très bien être du pesto de basilic. À votre choix !

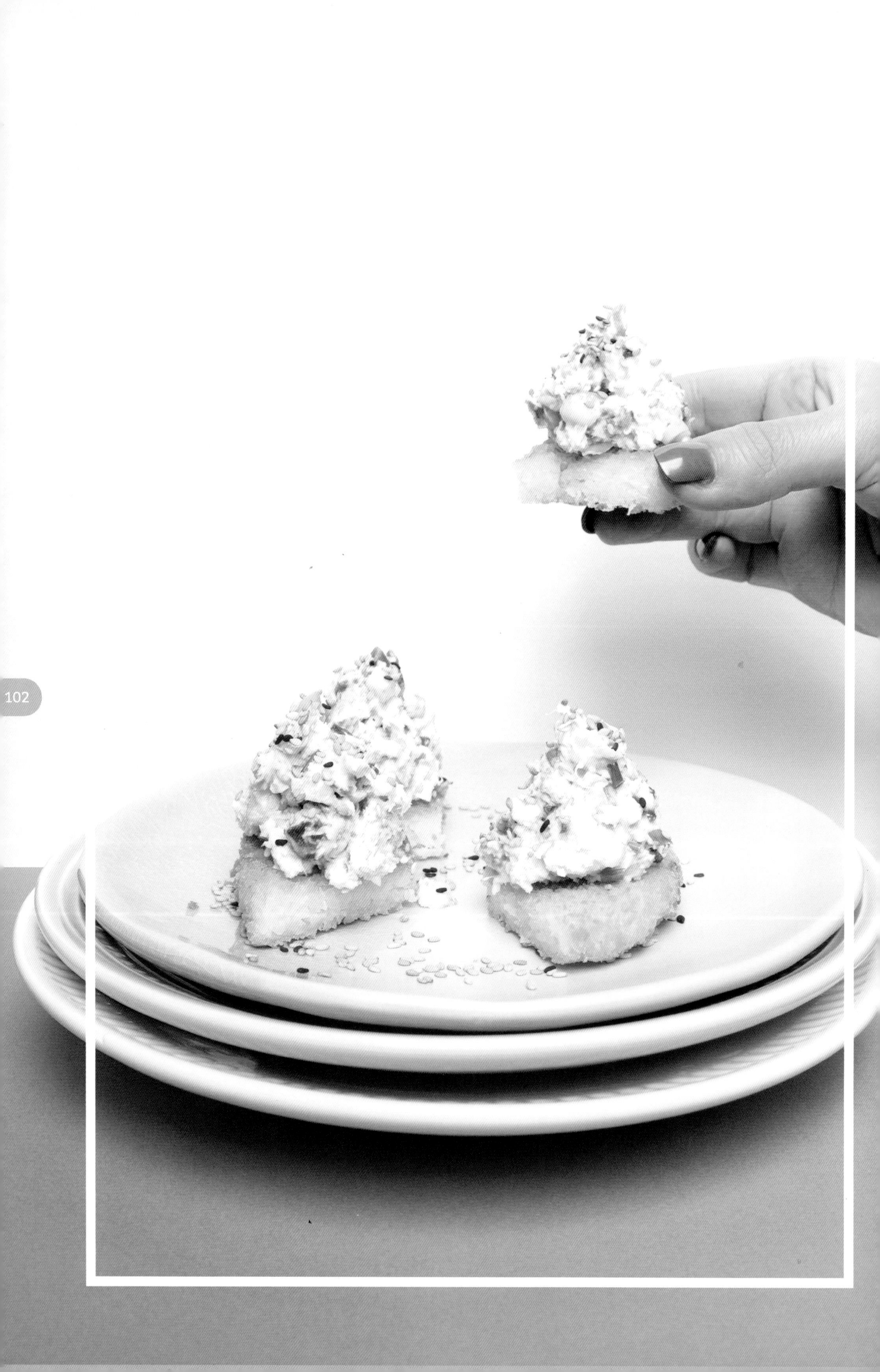

CRABE, BACON ET POIRE

POUR 2 PIZZAS (8 MORCEAUX)

INGRÉDIENTS

GALETTES

2 tasses de riz à sushi cuit (voir p. 10)

Mélange à tempura (voir p. 10)

Panko

GARNITURE AU CRABE

1 boîte de 120 g de crabe

5 tranches de bacon cuit émiettées

1 poire coupée en petits cubes

3 c. à soupe de mayonnaise épicée
(voir p. 13)

2 c. à soupe de ciboulette ciselée

1 c. à soupe d'oignons verts ciselés

1 pincée de fleur de sel

DÉCORATION

Graines de sésame noires et blanches,
au goût

PRÉPARATION

GALETTES

Façonner 2 galettes avec le riz. Enrober les galettes de mélange à tempura, puis de panko.

Dans un bain d'huile ou une friteuse à 350 °F, frire les galettes jusqu'à ce qu'elles soient dorées et croustillantes. Bien égoutter et déposer sur du papier absorbant.

GARNITURE AU CRABE

Dans un bol, mélanger les ingrédients de la garniture au crabe.

Dans une poêle, faire cuire les tranches de bacon. Couper grossièrement.

ASSEMBLAGE ET DÉCORATION

Couper chaque galette en 4. Assembler les pizzas en déposant la garniture au crabe sur chaque morceau.

Décorer de graines de sésame. Servir.

NOTE DE GENEVIÈVE

Variante rouleau de printemps : *Utiliser la garniture au crabe avec des avocats pour garnir des rouleaux de printemps. Dans ce cas, il est mieux de couper le bacon en juliennes.*

CRÈME D'AVOCAT

 POUR 2 PIZZAS (8 MORCEAUX)

INGRÉDIENTS

GALETTES

2 tasses de riz à sushi cuit (voir p. 10)

Mélange à tempura (voir p. 10)

Panko

GARNITURE AUX FRUITS DE MER

200 g de chair de homard coupée en petits morceaux

130 g de thon coupé en petits cubes ou 1 tube Sushi à la maison

130 g de saumon fumé à froid coupé en petits morceaux

1/4 de tasse de tempura prête à servir

2 c. à soupe de mayonnaise épicée (voir p. 13)

1 c. à soupe de masago rouge (œufs de capelan)

SALADE DE FENOUIL

1/2 tasse de fenouil coupé en fines lanières

Le jus de 1/2 lime

1 pincée de fleur de sel

CRÈME D'AVOCAT

1/2 tasse de crème 35 % à fouetter

1/4 de tasse de purée d'avocat

1 c. à soupe de gingembre haché

Le zeste de 1/2 lime

Le jus de 1/2 lime

1/2 c. à thé de fleur de sel

DÉCORATION

Le zeste de 1/2 lime

PRÉPARATION

GALETTES

1 Façonner 2 galettes avec le riz. Enrober les galettes de mélange à tempura, puis de panko.

2 Dans un bain d'huile ou une friteuse à 350 °F, frire les galettes jusqu'à ce qu'elles soient dorées et croustillantes. Bien égoutter et déposer sur du papier absorbant.

GARNITURE AUX FRUITS DE MER

3 Dans un bol, mélanger les ingrédients de la garniture aux fruits de mer.

SALADE DE FENOUIL

4 Dans un bol, mélanger les ingrédients de la salade de fenouil.

CRÈME D'AVOCAT

5 Fouetter la crème jusqu'à l'obtention de pics semi-fermes. Intégrer la purée d'avocat, le gingembre, le zeste et le jus de lime et la fleur de sel.

ASSEMBLAGE ET DÉCORATION

6 Couper chaque galette en 4. Assembler les pizzas en étageant la crème d'avocat, la garniture aux fruits de mer et la salade de fenouil sur chaque morceau.

7 Décorer de zeste de lime. Servir.

CREVETTES BRUXELLOISES

INGRÉDIENTS

GALETTES

2 tasses de riz à sushi cuit (voir p. 10)

Mélange à tempura (voir p. 10)

Panko

CHOUX DE BRUXELLES TEMPURA

4 choux de Bruxelles

Mélange à tempura (voir p. 10)

GARNITURE AUX CREVETTES

300 g de crevettes nordiques

2 radis coupés en petits cubes

Le zeste de 1/2 citron

Le jus de 1/2 citron

1 c. à soupe de crème fraîche

1 c. à soupe de graines de sésame noires

1 c. à thé de gingembre haché

1 c. à thé de miel

1 pincée de fleur de sel

Sauce sriracha, au goût

DÉCORATION

Mayonnaise épicée (voir p. 13), au goût

2 c. à soupe de crème fraîche

Graines de sésame noires, au goût

PRÉPARATION

GALETTES

Façonner 2 galettes avec le riz. Enrober les galettes de mélange à tempura, puis de panko.

Dans un bain d'huile ou une friteuse à 350 °F, frire les galettes jusqu'à ce qu'elles soient dorées et croustillantes. Bien égoutter et déposer sur du papier absorbant.

CHOUX DE BRUXELLES TEMPURA

Enrober les choux de Bruxelles de mélange à tempura.

Dans un bain d'huile ou une friteuse à 350 °F, frire les choux de Bruxelles jusqu'à ce qu'ils soient dorés. Bien égoutter et déposer sur du papier absorbant. Couper les choux de Bruxelles en 2.

GARNITURE AUX CREVETTES

Dans un bol, mélanger les ingrédients de la garniture aux crevettes.

ASSEMBLAGE ET DÉCORATION

Couper chaque galette en 4. Assembler les pizzas en étageant la garniture aux crevettes et les choux de Bruxelles frits sur chaque morceau.

Décorer de mayonnaise épicée, de crème fraîche et de graines de sésame noires. Servir.

NOTE DE GENEVIÈVE

Cette recette a bien failli faire partie de mon top 5. Elle est en 6ᵉ place !

Variante poke : *Dans un bol, déposer du riz à sushi cuit et toutes les garnitures de cette recette. Miam, wow !*

GOBERGE DU VERGER

 POUR 2 PIZZAS (8 MORCEAUX)

INGRÉDIENTS

GALETTES

2 tasses de riz à sushi cuit (voir p. 10)

Mélange à tempura (voir p. 10)

Panko

GARNITURE À LA GOBERGE

6 bâtonnets de goberge à saveur de crabe effilochés

1/4 de tasse de pomme verte coupée en juliennes

1/4 de tasse de pomme rouge coupée en juliennes

3 c. à soupe de mayonnaise épicée (voir p. 13)

1 pincée de fleur de sel

DÉCORATION

Mayonnaise épicée (voir p. 13), au goût

Masago rouge (œufs de capelan), au goût

PRÉPARATION

GALETTES

1. Façonner 2 galettes avec le riz. Enrober les galettes de mélange à tempura, puis de panko.

2. Dans un bain d'huile ou une friteuse à 350 °F, frire les galettes jusqu'à ce qu'elles soient dorées et croustillantes. Bien égoutter et déposer sur du papier absorbant.

GARNITURE À LA GOBERGE

3. Dans un bol, mélanger les ingrédients de la garniture au crabe.

ASSEMBLAGE ET DÉCORATION

4. Assembler la pizza en déposant la garniture au crabe sur les galettes.

5. Décorer de mayonnaise épicée et de masago rouge. Servir.

 NOTE DE GENEVIÈVE

Variante salade : *Avec de la laitue iceberg, ça fait une délicieuse salade repas !*

108

GRATIN DE FRUITS DE MER

 POUR 2 PIZZAS (8 MORCEAUX)

INGRÉDIENTS

GALETTES

2 tasses de riz à sushi cuit (voir p. 10)

1 c. à soupe de beurre

GARNITURE AUX FRUITS DE MER

1/2 tasse de fromage à la crème

1/2 tasse de crème sure

1 c. à soupe de sirop d'érable

1/2 c. à thé de sauce Worcestershire

1 c. à soupe de mayonnaise épicée
(voir p. 13)

Le jus de 1/2 lime

200 g de homard grossièrement haché

200 g de bâtonnets de goberge à saveur de crabe grossièrement hachés

1 c. à soupe d'oignons verts ciselés

DÉCORATION

1/4 de tasse de fromage mozzarella râpé

1/4 de tasse de fromage cheddar fort râpé

Oignons verts ciselés, au goût

PRÉPARATION

GALETTES

Façonner 2 galettes avec le riz.

Dans une poêle, faire dorer les galettes des 2 côtés dans le beurre.

GARNITURE AUX FRUITS DE MER

Dans un bol, mélanger le fromage à la crème, la crème sure, le sirop d'érable, la sauce Worcestershire, la mayonnaise épicée et le jus de lime. Incorporer le homard, la goberge et les oignons verts.

ASSEMBLAGE ET DÉCORATION

Préchauffer le grilloir du four. Déposer les galettes dans un plat allant au four.

Assembler les pizzas en déposant la garniture de homard et de goberge sur les galettes. Ajouter les fromages mozzarella et cheddar sur le dessus.

Mettre au four environ 2 minutes, jusqu'à ce que la garniture soit dorée. Bien surveiller.

Décorer d'oignons verts. Servir chaud.

 NOTE DE GENEVIÈVE

Variante gratin : *Doubler ou quadrupler la recette de la garniture aux fruits de mer et déposer le tout dans un plat à gratin. Garnir avec les fromages et faire gratiner. Servir avec une salade verte.*

GUÉDILLE AUX CREVETTES

 POUR 2 PIZZAS (8 MORCEAUX)

INGRÉDIENTS

GALETTES

2 tasses de riz à sushi cuit (voir p. 10)

Mélange à tempura (voir p. 10)

Panko

AVOCAT FRIT

4 tranches d'avocat

Mélange à tempura (voir p. 10)

Panko

GARNITURE

300 g de crevettes nordiques

1 c. à soupe de yogourt grec nature

1 c. à soupe de fromage à la crème

2 c. à soupe de mayonnaise

1 c. à soupe d'estragon haché

1 c. à soupe de ciboulette ciselée

1 c. à soupe d'oignons verts ciselés

Le zeste de 1/2 citron

1 pincée de fleur de sel

PRÉPARATION

GALETTES

Façonner 2 galettes avec le riz. Enrober les galettes de mélange à tempura, puis de panko.

Dans un bain d'huile ou une friteuse à 350 °F, frire les galettes jusqu'à ce qu'elles soient dorées et croustillantes. Bien égoutter et déposer sur du papier absorbant.

AVOCAT FRIT

Enrober les tranches d'avocat de mélange à tempura, puis de panko.

Dans un bain d'huile ou une friteuse à 350 °F, frire les tranches d'avocat jusqu'à ce qu'elles soient dorées et croustillantes. Bien égoutter et déposer sur du papier absorbant. Couper les tranches d'avocat en petits morceaux.

GARNITURE

Dans un bol, mélanger les ingrédients de la garniture et les morceaux d'avocat frits.

ASSEMBLAGE

Couper chaque galette en 4. Assembler les pizzas en déposant la garniture sur les galettes sur chaque morceau. Servir.

 NOTE DE GENEVIÈVE

Tant qu'à frire, on va frire !

Variante sandwich : *Déposer la garniture dans un pain kaiser. Super bon pour le brunch !*

RECETTE **COUP DE CŒUR**

HOMARD À L'ESTRAGON

POUR 2 PIZZAS (8 MORCEAUX)

INGRÉDIENTS

GALETTES

2 tasses de riz à sushi cuit (voir p. 10)

Mélange à tempura (voir p. 10)

Panko

SALADE DE LÉGUMES CROQUANTS

1/2 tasse de rubans de carotte

1/2 tasse de rubans de concombre

1/2 tasse de rubans de papaye verte

1/2 tasse de rubans de daikon

1/3 de tasse de vinaigrette ponzu
(voir p. 13)

HOMARD

2 c. à soupe de beurre

300 g de homard coupé en morceaux

2 c. à soupe d'estragon frais haché

DÉCORATION

1/4 de tasse de mayonnaise à la lime
(voir p. 12)

PRÉPARATION

GALETTES

1. Façonner 2 galettes avec le riz. Enrober les galettes de mélange à tempura, puis de panko.

2. Dans un bain d'huile ou une friteuse à 350 °F, frire les galettes jusqu'à ce qu'elles soient dorées et croustillantes. Bien égoutter et déposer sur du papier absorbant.

SALADE DE LÉGUMES CROQUANTS

3. Dans un bol, mélanger les ingrédients de la salade de légumes croquants. Réserver au réfrigérateur au moins 30 minutes, idéalement 1 heure 30.

HOMARD

4. Dans une poêle, faire fondre le beurre à feu moyen. Ajouter le homard et l'estragon. Réchauffer et bien enrober le homard.

ASSEMBLAGE ET DÉCORATION

5. Sur les galettes, assembler les pizzas en étageant la mayonnaise à la lime, la salade de légumes croquants et le homard. Servir tiède.

114

 NOTE DE GENEVIÈVE

Variante pasta : Servir la recette sur vos pâtes préférées plutôt que sur une galette, ça goûte le ciel x 10 000 !

HOMARD AU BEURRE ET GUACAMOLE

POUR 2 PIZZAS (8 MORCEAUX)

INGRÉDIENTS

GALETTES

2 tasses de riz à sushi cuit (voir p. 10)

Mélange à tempura (voir p. 10)

2 petites feuilles de riz rondes

Fleur de sel, au goût

GARNITURE AU HOMARD

200 g de chair de homard

2 c. à soupe de beurre

1 c. à thé d'ail haché

DÉCORATION

3 c. à soupe de mayonnaise au sésame
(voir p. 13)

Guacamole (voir p. 12), au goût

1 concombre libanais coupé en fines tranches

Masago orange et rouge (œufs de capelan),
au goût

PRÉPARATION

GALETTES

Étendre le riz sur les feuilles de riz pour les recouvrir complètement. Enrober les galettes de mélange à tempura.

Dans un bain d'huile ou une friteuse à 350 °F, frire les galettes jusqu'à ce qu'elles soient dorées et croustillantes. Bien égoutter et déposer sur du papier absorbant. Saler légèrement.

GARNITURE AU HOMARD

Dans une poêle, faire revenir le homard dans le beurre et l'ail.

ASSEMBLAGE ET DÉCORATION

Sur les galettes, assembler les pizzas en étageant la mayonnaise au sésame, la garniture au homard et le guacamole.

Décorer de tranches de concombre et de masago orange et rouge. Servir.

HOMARD VICKIE-LIME

 POUR 2 PIZZAS (8 MORCEAUX)

INGRÉDIENTS

GALETTES

2 tasses de riz à sushi cuit (voir p. 10)

Mélange à tempura (voir p. 10)

Croustilles Miss Vickie's lime et poivre noir réduites en miettes

GARNITURE AU HOMARD

300 g de chair de homard

5 c. à soupe de mayonnaise

Le zeste de 1/2 lime

Tempura prête à servir, au goût

Fleur de sel, au goût

DÉCORATION

Quartiers de lime, au goût

PRÉPARATION

GALETTES

1. Façonner 2 galettes avec le riz. Enrober les galettes de mélange à tempura, puis de miettes de croustilles.

2. Dans un bain d'huile ou une friteuse à 350 °F, frire les galettes jusqu'à ce qu'elles soient dorées et croustillantes. Bien égoutter et déposer sur du papier absorbant.

GARNITURE AU HOMARD

3. Dans un bol, mélanger le homard, 2 c. à soupe de mayonnaise, le zeste de lime, la tempura et la fleur de sel.

ASSEMBLAGE ET DÉCORATION

4. Couper chaque galette en 4. Assembler les pizzas en étageant le reste de la mayonnaise et la garniture au homard sur chaque morceau.

5. Presser la lime sur tous les morceaux. Servir.

 NOTE DE GENEVIÈVE

Je vous donne souvent des variantes pour servir la recette autrement qu'en pizza, mais pas cette fois-ci. Comme ça, c'est l'ultime création !

KING CRABE

INGRÉDIENTS

GALETTES

2 tasses de riz à sushi cuit (voir p. 10)

Mélange à tempura (voir p. 10)

Panko

SAUCE AU FROMAGE

1 c. à soupe de beurre

1 c. à soupe de farine

1/2 tasse de lait

1 tasse de fromage Velveeta

CRABE

300 g de crabe des neiges

DÉCORATION

Oignons verts ciselés, au goût

PRÉPARATION

GALETTES

Façonner 2 galettes avec le riz. Enrober les galettes de mélange à tempura, puis de panko.

Dans un bain d'huile ou une friteuse à 350 °F, frire les galettes jusqu'à ce qu'elles soient dorées et croustillantes. Bien égoutter et déposer sur du papier absorbant.

SAUCE AU FROMAGE

Dans une casserole, faire fondre le beurre à feu moyen. Ajouter la farine et le lait en fouettant. Ajouter le fromage Velveeta et le laisser fondre. Remuer la préparation fréquemment pour éviter que la sauce ne colle.

ASSEMBLAGE ET DÉCORATION

Couper chaque galette en 4. Assembler les pizzas en étageant la sauce au fromage et le crabe sur chaque morceau.

Décorer d'oignons verts. Servir.

NOTE DE GENEVIÈVE

Variante pasta : *Mélanger la sauce avec des macaronis cuits. Garnir de crabe des neiges pour un* mac'n'cheese *décadent !*

LA CRÈME DU HOMARD

 POUR 2 PIZZAS (8 MORCEAUX)

INGRÉDIENTS

RÉMOULADE

1/2 tasse de céleri-rave coupé en juliennes

1/2 tasse de fenouil coupé en juliennes

1/2 tasse de pomme verte coupée en juliennes

2 c. à soupe de mayonnaise

Le jus de 1 lime

Le zeste de 1/2 lime

1 pincée de fleur de sel

GALETTES

2 tasses de riz à sushi cuit (voir p. 10)

Mélange à tempura (voir p. 10)

Panko

CHEVEUX D'ANGE DE PATATE DOUCE

1 patate douce coupée en cheveux d'ange

1 pincée de fleur de sel

HOMARD

200 g de chair de homard

2 c. à soupe de mayonnaise épicée (voir p. 13)

DÉCORATION

Cheveux d'ange de patate douce, au goût

Oignons verts ciselés, au goût

PRÉPARATION

RÉMOULADE

Dans un bol, mélanger les ingrédients pour la rémoulade. Réserver au réfrigérateur au moins 1 heure.

GALETTES

Façonner 2 galettes avec le riz. Enrober les galettes de mélange à tempura, puis de panko.

Dans un bain d'huile ou une friteuse à 350 °F, frire les galettes jusqu'à ce qu'elles soient dorées et croustillantes. Bien égoutter et déposer sur du papier absorbant.

CHEVEUX D'ANGE DE PATATE DOUCE

Dans un bain d'huile ou une friteuse à 350 °F, frire les juliennes de patate douce 1 ou 2 minutes jusqu'à ce qu'elles soient dorées et croustillantes. Bien égoutter et déposer sur du papier absorbant. Ajouter de la fleur de sel.

HOMARD

Dans un bol, mélanger les ingrédients de la garniture au homard.

ASSEMBLAGE ET DÉCORATION

Sur les galettes, assembler les pizzas en étageant la rémoulade et le homard.

Décorer de cheveux d'ange de patate douce et d'oignons verts. Servir.

L'ALFREDO

POUR 2 PIZZAS (8 MORCEAUX)

INGRÉDIENTS

GALETTES

2 tasses de riz à sushi cuit (voir p. 10)

Mélange à tempura (voir p. 10)

Panko

GARNITURE AUX FRUITS DE MER

1 tasse de crème à cuisson 15 %

200 g de crevettes d'Argentine

200 g de pétoncles

1/2 tasse de fromage mozzarella râpé

1/2 tasse de fromage cheddar fort râpé

1 pincée de fleur de sel

Paprika fumé, au goût

DÉCORATION

2 pinces de homard décortiquées

Pousses au choix, au goût

PRÉPARATION

GALETTES

Façonner 2 galettes avec le riz. Enrober les galettes de mélange à tempura, puis de panko.

Dans un bain d'huile ou une friteuse à 350 °F, frire les galettes jusqu'à ce qu'elles soient dorées et croustillantes. Bien égoutter et déposer sur du papier absorbant.

GARNITURE AUX FRUITS DE MER

Dans une casserole, porter la crème jusqu'à ébullition. Ajouter les crevettes d'Argentine et les pétoncles. Réduire le feu et cuire environ 10 minutes.

Ajouter les deux fromages et la fleur de sel. Mélanger jusqu'à ce que le fromage soit bien fondu.

ASSEMBLAGE ET DÉCORATION

Préchauffer le grilloir du four. Déposer les galettes dans un plat allant au four.

Assembler les pizzas en déposant la garniture aux fruits de mer sur les galettes. Saupoudrer de paprika fumé.

Mettre au four environ 2 minutes, jusqu'à ce que la garniture soit grillée à votre goût. Bien surveiller.

Décorer des pinces de homard et des pousses. Servir chaud.

NOTE DE GENEVIÈVE

Variante pasta : *Servir la garniture aux fruits de mer sur vos pâtes préférées. Tout à fait délectable !*

L'AMANDE DE MONSIEUR HOMARD

POUR 2 PIZZAS (8 MORCEAUX)

INGRÉDIENTS

GALETTES

2 tasses de riz à sushi cuit (voir p. 10)

Mélange à tempura (voir p. 10)

Graines de sésame noires et blanches

GARNITURE AU HOMARD

300 g de homard haché

1/4 de tasse d'amandes tranchées grillées

1/2 pomme verte coupée en petits cubes

1 c. à thé de gingembre haché

1 c. à thé de sambal oelek

1 c. à thé de moutarde de Dijon

1 c. à thé de miel

1 pincée de fleur de sel

DÉCORATION

Guacamole (voir p. 12), au goût

Amandes tranchées grillées, au goût

PRÉPARATION

GALETTES

Façonner 2 galettes avec le riz. Enrober les galettes de mélange à tempura, puis de graines de sésame.

Dans un bain d'huile ou une friteuse à 350 °F, frire les galettes jusqu'à ce qu'elles soient dorées et croustillantes. Bien égoutter et déposer sur du papier absorbant.

GARNITURE AU HOMARD

Dans un bol, mélanger les ingrédients de la garniture au homard.

ASSEMBLAGE ET DÉCORATION

Couper chaque galette en 2. Assembler les pizzas en étageant le guacamole et la garniture au homard sur chaque morceau.

Décorer des amandes. Servir.

 NOTE DE GENEVIÈVE

Variante guédille : *Déposer la garniture au homard dans un pain à hot-dog. Super résultat pas plate !*

LA NORDIQUE À L'ORANGE

INGRÉDIENTS

GALETTES

2 tasses de riz à sushi cuit (voir p. 10)

Mélange à tempura (voir p. 10)

Panko

GARNITURE AU SAUMON ET AUX CREVETTES

300 g de crevettes nordiques

150 g de saumon frais coupé en petits cubes

3 c. à soupe de mayonnaise épicée (voir p. 13)

1 c. à soupe de masago rouge (œufs de capelan)

1 c. à soupe d'oignon rouge haché

Le zeste de 1/2 orange

1 pincée de fleur de sel

DÉCORATION

Guacamole (voir p. 12), au goût

Suprêmes d'orange, au goût

Masago rouge (œufs de capelan), au goût

PRÉPARATION

GALETTES

1. Façonner 2 galettes avec le riz. Enrober les galettes de mélange à tempura, puis de panko.

2. Dans un bain d'huile ou une friteuse à 350 °F, frire les galettes jusqu'à ce qu'elles soient dorées et croustillantes. Bien égoutter et déposer sur du papier absorbant.

GARNITURE AU SAUMON ET AUX CREVETTES

3. Dans un bol, mélanger les ingrédients de la garniture au saumon et aux crevettes.

ASSEMBLAGE ET DÉCORATION

4. Couper chaque galette en 2. Assembler les pizzas en étageant le guacamole et la garniture au saumon et aux crevettes sur chaque morceau.

5. Décorer de suprêmes d'orange et de masago rouge. Servir.

 NOTE DE GENEVIÈVE

Variante poke : *Dans un bol, déposer du riz à sushi cuit et toutes les garnitures de cette recette. Tout aussi wow !*

LA NOUVELLE

POUR 2 PIZZAS (8 MORCEAUX)

INGRÉDIENTS

GALETTES

2 tasses de riz à sushi cuit (voir p. 10)

Mélange à tempura (voir p. 10)

Panko

GARNITURE

6 bâtonnets de goberge à saveur de crabe hachés

2 c. à soupe d'oignons verts ciselés

1 c. à soupe de mayonnaise épicée (voir p. 13)

DÉCORATION

3 c. à soupe de fromage à la crème

85 g de charcuterie de saumon Searrano Sushi à la maison effilochée

1 c. à soupe de sauce teriyaki

1/2 avocat tranché finement

1 c. à soupe de mayonnaise épicée (voir p. 13)

Graines de sésame noires et blanches, au goût

Masago rouge (œufs de capelan), au goût

PRÉPARATION

GALETTES

Façonner 2 galettes avec le riz. Enrober les galettes de mélange à tempura, puis de panko.

Dans un bain d'huile ou une friteuse à 350 °F, frire les galettes jusqu'à ce qu'elles soient dorées et croustillantes. Bien égoutter et déposer sur du papier absorbant.

GARNITURE

Dans un bol, mélanger la chair de crabe des neiges, les oignons verts et la mayonnaise épicée.

ASSEMBLAGE ET DÉCORATION

Sur les galettes, assembler les pizzas en étageant le fromage à la crème, la garniture au crabe des neiges, le saumon Searrano, la sauce teriyaki et les tranches d'avocat.

Décorer de mayonnaise épicée, de graines de sésame noires et blanches et de masago rouge. Servir.

NOTE DE GENEVIÈVE

Une pizza assez traditionnelle et aussi assez bonne !

LE PINCÉ HOLLANDAIS

 POUR 2 PIZZAS (8 MORCEAUX)

INGRÉDIENTS

GALETTES

2 tasses de riz à sushi cuit (voir p. 10)

Mélange à tempura (voir p. 10)

Panko

GARNITURE AUX FRUITS DE MER

200 g de crevettes nordiques

200 g de chair de homard

1 c. à soupe de ciboulette ciselée

1/2 pomme rouge coupée en petits cubes

Sauce hollandaise (voir p. 13), au goût

PRÉPARATION

GALETTES

1. Façonner 2 galettes avec le riz. Enrober les galettes de mélange à tempura, puis de panko.

2. Dans un bain d'huile ou une friteuse à 350 °F, frire les galettes jusqu'à ce qu'elles soient dorées et croustillantes. Bien égoutter et déposer sur du papier absorbant.

GARNITURE AUX FRUITS DE MER

3. Dans un bol, mélanger les crevettes nordiques, le homard, la ciboulette, la pomme rouge et la sauce hollandaise.

ASSEMBLAGE

4. Couper chaque galette en 4. Assembler les pizzas en déposant la garniture aux fruits de mer sur chaque morceau. Servir.

PÉTONCLES AU BASILIC CRÉMEUX

 POUR 2 PIZZAS (8 MORCEAUX)

INGRÉDIENTS

GALETTES

2 tasses de riz à sushi cuit (voir p. 10)

Mélange à tempura (voir p. 10)

Panko

CRÈME DE BASILIC

1 tasse de crème à cuisson 15 %

1/2 tasse de fromage cheddar râpé

2 c. à soupe de pesto de basilic maison ou du commerce

1 c. à soupe de crème fraîche

1 pincée de fleur de sel

PÉTONCLES

12 pétoncles (grosseur de votre choix)

1 c. à soupe de beurre

DÉCORATION

Copeaux de parmesan, au goût

Feuilles de basilic, au goût

Pesto de basilic, au goût

PRÉPARATION

GALETTES

Façonner 2 galettes avec le riz. Enrober les galettes de mélange à tempura, puis de panko.

Dans un bain d'huile ou une friteuse à 350 °F, frire les galettes jusqu'à ce qu'elles soient dorées et croustillantes. Bien égoutter et déposer sur du papier absorbant.

CRÈME DE BASILIC

Dans une casserole, mélanger les ingrédients de la crème de basilic.

Mettre sur le rond et réchauffer le mélange à feu moyen, jusqu'à ce que le fromage soit fondu.

PÉTONCLES

Dans une poêle, faire griller les pétoncles dans le beurre.

ASSEMBLAGE ET DÉCORATION

Sur les galettes, assembler les pizzas en étageant la crème de basilic et les pétoncles.

Décorer de copeaux de parmesan, de feuilles de basilic et de pesto. Servir.

 NOTE DE GENEVIÈVE

Variante coquille : *Dans un plat à coquille Saint-Jaques, déposer les pétoncles, la crème de basilic et les pommes de terre en purée. Hop, au four et le tour est joué !*

PÉTONCLES ET FRUITS

POUR 2 PIZZAS (8 MORCEAUX)

INGRÉDIENTS

GALETTES

2 tasses de riz à sushi cuit (voir p. 10)

Mélange à tempura (voir p. 10)

Panko

GARNITURE AUX PÉTONCLES

130 g de pétoncles coupés en petits cubes ou 1 tube Sushi à la maison

1 kiwi coupé en petits cubes

2 grosses fraises coupées en petits cubes

1/2 mangue coupée en petits cubes

2 c. à soupe de mayonnaise

1/2 c. à thé de sambal oelek

1 filet d'huile d'olive

1 filet d'huile de sésame

1 pincée de fleur de sel

ÉMULSION DE BASILIC

2 c. à soupe d'huile d'olive

2 c. à soupe de pesto maison ou du commerce

1 pincée de fleur de sel

DÉCORATION

Fraises coupées en tranches, au goût

PRÉPARATION

GALETTES

Façonner 2 galettes avec le riz. Enrober les galettes de mélange à tempura, puis de panko.

Dans un bain d'huile ou une friteuse à 350 °F, frire les galettes jusqu'à ce qu'elles soient dorées et croustillantes. Bien égoutter et déposer sur du papier absorbant.

GARNITURE AUX PÉTONCLES

Dans un bol, mélanger les ingrédients de la garniture aux pétoncles.

ÉMULSION DE BASILIC

Dans un bol, mélanger les ingrédients de l'émulsion de basilic. Utiliser un mélangeur à main pour rendre le mélange homogène.

ASSEMBLAGE ET DÉCORATION

Assembler les pizzas en déposant la garniture aux pétoncles sur les galettes, puis garnir d'émulsion de basilic.

Décorer de fraises. Servir.

PÉTONCLES ET MANGUE

POUR 2 POINTES

INGRÉDIENTS

POINTES DE PIZZA

1/2 avocat coupé en languettes

1 1/2 tasse de riz à sushi cuit (voir p. 10)

2 feuilles de nori

GARNITURE

300 g de pétoncles coupés en petits cubes

1/2 tasse de mangue coupée en petits cubes

1 c. à soupe de mayonnaise

1 filet de miel

1 c. à soupe d'oignons verts ciselés

1 pincée de fleur de sel

DÉCORATION

100 g de charcuterie de saumon Searrano
Sushi à la maison

1/4 de tasse de mayonnaise au miel
(voir p. 12)

Masago rouge (œufs de capelan), au goût

Graines de sésame noires et blanches,
au goût

PRÉPARATION

POINTES DE PIZZA

1. Couper 1 feuille de nori en 2 sur la longueur. Déposer 1/2 tasse de riz sur la feuille de nori en laissant une bande vide de 1 cm dans le haut (long côté). Déposer l'avocat au centre de la feuille et rouler délicatement. Mouiller légèrement la bande sans riz pour la faire coller au rouleau. Couper le rouleau en 2.

2. Couper 2 triangles dans une autre feuille de nori. Étendre 1 tasse de riz sur les triangles.

3. Sur des assiettes, coller les rouleaux et les triangles afin de former 2 pointes de pizza.

GARNITURE

4. Dans un bol, mélanger les pétoncles, la mangue, la mayonnaise, le miel, les oignons verts et la fleur de sel.

ASSEMBLAGE ET DÉCORATION

5. Assembler les pointes en déposant la garniture aux pétoncles et le saumon Searrano sur les galettes.

6. Décorer de mayonnaise au miel, de masago rouge et de graines de sésame. Servir.

NOTE DE GENEVIÈVE

Je l'avoue, ce n'est pas très simple à manger... mais c'est trop bon !

PÉTONCLES ET SALSA DE POIVRON

 POUR 2 PIZZAS (8 MORCEAUX)

INGRÉDIENTS

GALETTES

2 tasses de riz à sushi cuit (voir p. 10)

Mélange à tempura (voir p. 10)

Panko

SALSA DE POIVRON

1 poivron grillé maison ou du commerce haché

2 c. à soupe de fromage ricotta

1 c. à soupe d'oignon rouge haché

1 c. à thé de graines de sésame blanches

1 c. à thé d'huile d'olive

1/2 c. à thé de moutarde de Dijon

1 pincée de fleur de sel

GARNITURE

1/2 tasse de chorizo coupé en petits cubes

8 pétoncles (grosseur de votre choix)

1 c. à soupe de beurre

2 c. à soupe de mélasse

PRÉPARATION

GALETTES

Façonner 2 galettes avec le riz. Enrober les galettes de mélange à tempura, puis de panko.

Dans un bain d'huile ou une friteuse à 350 °F, frire les galettes jusqu'à ce qu'elles soient dorées et croustillantes. Bien égoutter et déposer sur du papier absorbant.

SALSA DE POIVRON

Dans un bol, mélanger les ingrédients de la salsa de poivron.

GARNITURE

Dans une poêle, faire griller le chorizo jusqu'à ce qu'il soit croustillant, puis réserver.

Dans la même poêle, saisir les pétoncles dans le beurre jusqu'à la cuisson de votre choix. Ajouter la mélasse avant de retirer du feu.

ASSEMBLAGE

Couper chaque galette en 4. Assembler les pizzas en étageant la salsa de poivron, le chorizo grillé et les pétoncles sur chaque morceau.

Décorer d'un peu de jus de cuisson des pétoncles. Servir.

 NOTE DE GENEVIÈVE

Variante entrée : *Servir simplement la garniture et la salsa de poivrons dans une jolie assiette. C'est gagnant !*

PIEUVRE POÊLÉE

POUR 2 PIZZAS (8 MORCEAUX)

INGRÉDIENTS

SALADE DE LÉGUMES CROQUANTS

1/2 tasse de rubans de carotte

1/2 tasse de rubans de concombre

1/2 tasse de rubans de papaye verte

1/2 tasse de rubans de daikon

1/3 de tasse de vinaigrette ponzu (voir p. 13)

GALETTES

2 tasses de riz à sushi cuit (voir p. 10)

Mélange à tempura (voir p. 10)

Panko

PIEUVRE

300 g de pieuvre cuite coupée en rondelles

2 c. à soupe de beurre

1 c. à thé d'ail

DÉCORATION

1 filet d'huile d'olive

Mayonnaise épicée (voir p. 13), au goût

PRÉPARATION

SALADE DE LÉGUMES CROQUANTS

1. Dans un bol, mélanger les ingrédients de la salade de légumes croquants.

GALETTES

2. Façonner 2 galettes avec le riz. Enrober les galettes de mélange à tempura, puis de panko.

3. Dans un bain d'huile ou une friteuse à 350 °F, frire les galettes jusqu'à ce qu'elles soient dorées et croustillantes. Bien égoutter et déposer sur du papier absorbant.

PIEUVRE

4. Dans une poêle, faire revenir la pieuvre dans le beurre et l'ail quelques minutes afin qu'elle soit dorée.

ASSEMBLAGE ET DÉCORATION

5. Sur les galettes, assembler les pizzas en étageant la salade de légumes croquants et la pieuvre.

6. Décorer d'huile d'olive et de mayonnaise épicée. Servir.

NOTE DE GENEVIÈVE

J'adore, j'adore, j'adore la pieuvre, vous n'avez pas idée ! Vous la trouverez surgelée déjà cuite et emballée sous vide. C'est incroyable !

142

RÉMOULADE BANG BANG

POUR 2 PIZZAS (8 MORCEAUX)

INGRÉDIENTS

RÉMOULADE

1/2 tasse de céleri-rave coupé en juliennes

1/2 tasse de fenouil coupé en juliennes

1/2 pomme jaune coupée en juliennes

Le jus de 1/2 citron

2 c. à soupe de mayonnaise épicée

1 pincée de fleur de sel

GALETTES

2 tasses de riz à sushi cuit (voir p. 10)

Mélange à tempura (voir p. 10)

Panko

SAUCE

1/2 tasse de sauce thaïe sucrée

1/4 de tasse de mayonnaise épicée
(voir p. 13)

1 c. à soupe de ciboulette ciselée

1 c. à thé de sauce sriracha

CREVETTES FRITES

16 grosses crevettes

Mélange à tempura

Panko

DÉCORATION

1/2 concombre anglais coupé en fines
juliennes

PRÉPARATION

RÉMOULADE

Dans un bol, mélanger les ingrédients de la rémoulade. Réserver au réfrigérateur au moins 1 heure.

GALETTES

Façonner 2 galettes avec le riz. Enrober les galettes de mélange à tempura, puis de panko.

Dans un bain d'huile ou une friteuse à 350 °F, frire les galettes jusqu'à ce qu'elles soient dorées et croustillantes. Bien égoutter et déposer sur du papier absorbant.

SAUCE

Dans un bol, mélanger les ingrédients de la sauce.

CREVETTES FRITES

Enrober les crevettes de mélange à tempura, puis de panko.

Dans un bain d'huile ou une friteuse à 375 °F, frire les crevettes de 3 à 4 minutes. Bien égoutter et déposer sur du papier absorbant. Laisser reposer environ 2 minutes.

Remettre les crevettes dans l'huile environ 2 minutes, ou jusqu'à ce qu'elles soient bien dorées et croustillantes. Bien égoutter et déposer sur du papier absorbant.

Mettre les crevettes dans la sauce et bien les enrober.

ASSEMBLAGE ET DÉCORATION

Sur les galettes, assembler les pizzas en étageant la rémoulade et les crevettes frites.

Décorer de concombre. Servir.

NOTE DE GENEVIÈVE

Vous pouvez aussi acheter mes crevettes bang bang Sushi à la maison chez IGA. Oui, oui, déjà toutes faites !

03 PIZZAS À LA VIANDE

BŒUF ET BACON TERIYAKI

 POUR 2 PIZZAS (8 MORCEAUX)

INGRÉDIENTS

GALETTES

2 tasses de riz à sushi cuit (voir p. 10)

Mélange à tempura (voir p. 10)

Panko

GARNITURE AU BŒUF

260 g d'intérieur de ronde de bœuf coupé en petits cubes ou 2 emballages Sushi à la maison

4 tranches de bacon cuit émiettées

1 c. à thé de câpres hachées

2 c. à soupe de mayonnaise

1 c. à soupe de moutarde de Dijon

1 c. à soupe de sauce teriyaki

1 c. à soupe d'oignons verts

1 filet d'huile d'olive

1 pincée de fleur de sel

1/2 tasse de fromage cheddar fort

DÉCORATION

Bacon cuit émietté, au goût

Sauce teriyaki, au goût

Oignons verts ciselés, au goût

Graines de sésame noires et blanches, au goût

PRÉPARATION

GALETTES

1. Façonner 2 galettes avec le riz. Enrober les galettes de mélange à tempura, puis de panko.

2. Dans un bain d'huile ou une friteuse à 350 °F, frire les galettes jusqu'à ce qu'elles soient dorées et croustillantes. Bien égoutter et déposer sur du papier absorbant.

GARNITURE AU BŒUF

3. Dans un bol, mélanger l'intérieur de ronde de bœuf, le bacon, les câpres, la mayonnaise, la moutarde de Dijon, la sauce teriyaki, les oignons verts, l'huile d'olive et la fleur de sel.

4. Au four à micro-onde ou dans une poêle antiadhésive, faire fondre le fromage cheddar à feu doux.

ASSEMBLAGE ET DÉCORATION

5. Couper chaque galette en 2. Assembler les pizzas en étageant le fromage cheddar fondu et la garniture au bœuf sur chaque morceau.

6. Décorer de bacon, de sauce teriyaki, d'oignons verts et de graines de sésame noires et blanches. Servir.

 NOTE DE GENEVIÈVE

Un véritable tartare de rêve tellement simple à réaliser !

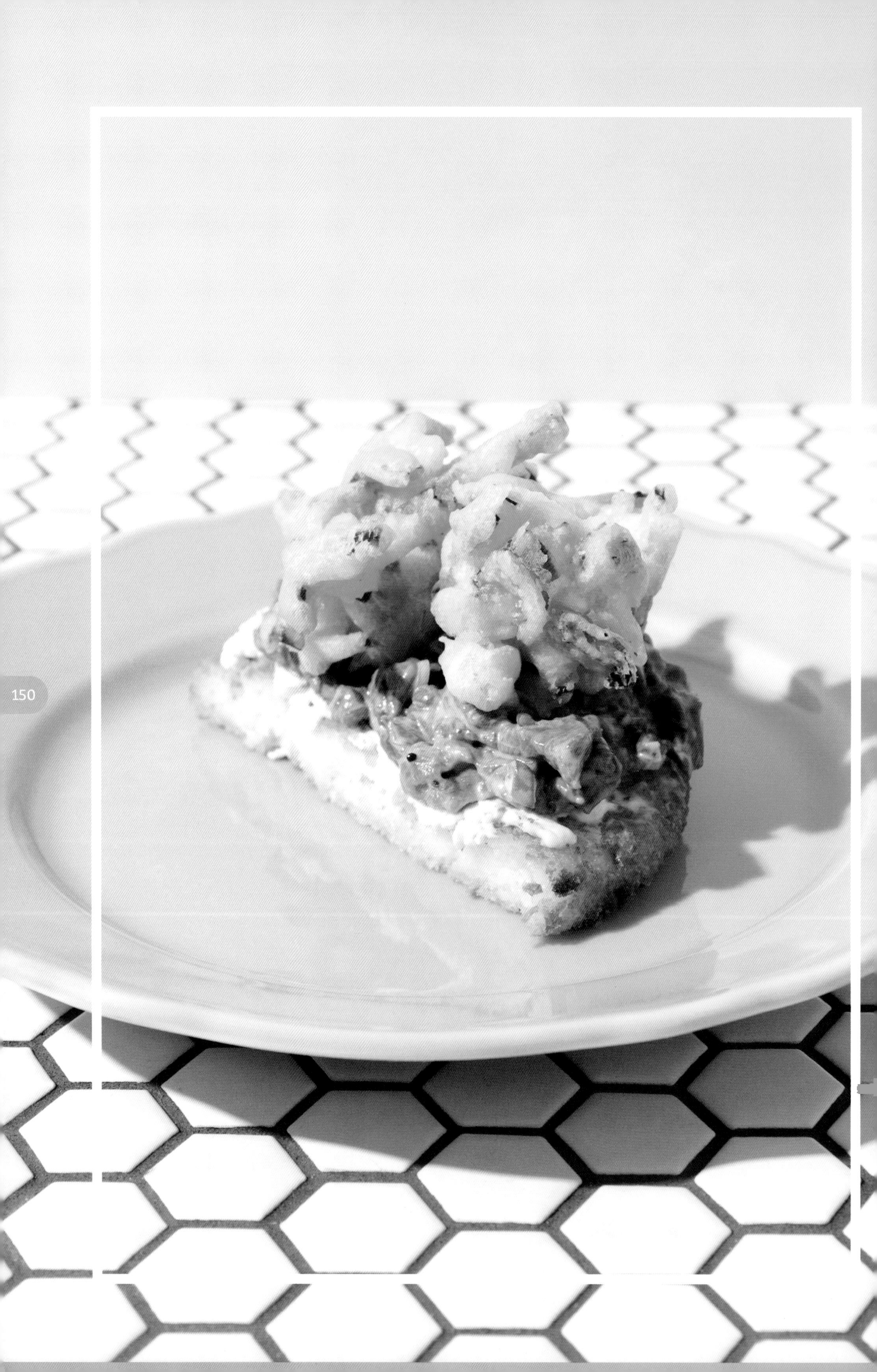

BŒUF ET POIREAUX FRITS

 POUR 2 PIZZAS (8 MORCEAUX)

INGRÉDIENTS

GALETTES

2 tasses de riz à sushi cuit (voir p. 10)

Mélange à tempura (voir p. 10)

Panko

POIREAUX FRITS

1 poireau coupé en rondelles

Mélange à tempura (voir p. 10)

1 pincée de fleur de sel

GARNITURE AU BŒUF

260 g d'intérieur de ronde de bœuf coupé en petits cubes ou 2 emballages Sushi à la maison

1 c. à thé de sauce ponzu

1 c. à soupe de moutarde de Dijon

2 c. à soupe de mayonnaise

1 filet d'huile d'olive

1 pincée de fleur de sel

DÉCORATION

3 c. à soupe de fromage Boursin ail et fines herbes

PRÉPARATION

GALETTES

Façonner 2 galettes avec le riz. Enrober les galettes de mélange à tempura, puis de panko.

Dans un bain d'huile ou une friteuse à 350 °F, frire les galettes jusqu'à ce qu'elles soient dorées et croustillantes. Bien égoutter et déposer sur du papier absorbant.

POIREAUX FRITS

Enrober les rondelles de poireau de mélange à tempura.

Dans un bain d'huile ou une friteuse à 350 °F, frire le poireau environ 2 minutes. Bien égoutter et déposer sur du papier absorbant. Ajouter de la fleur de sel.

GARNITURE AU BŒUF

Dans un bol, mélanger l'intérieur de ronde de bœuf, la sauce ponzu, la moutarde de Dijon, la mayonnaise, l'huile d'olive et la fleur de sel.

ASSEMBLAGE ET DÉCORATION

Couper chaque galette en 2. Assembler les pizzas en étageant le fromage Boursin, la garniture au bœuf et les poireaux frits sur chaque morceau.

BŒUF FROMAGÉ

POUR 2 PIZZAS (8 MORCEAUX)

INGRÉDIENTS

GALETTES

2 tasses de riz à sushi cuit (voir p. 10)

Mélange à tempura (voir p. 10)

Panko

SALADE

1/2 tasse de chou rouge coupé en fines lanières

1/2 tasse de pois mange-tout coupés en biseaux

1/2 tasse de fèves germées

1 filet d'huile d'olive

1 filet d'huile de sésame

1 c. à soupe de sauce hoisin

1 pincée de fleur de sel

Sambal oelek, au goût

GARNITURE AU BŒUF

260 g d'intérieur de ronde de bœuf coupé en petits cubes ou 2 emballages Sushi à la maison

2 c. à soupe de mayonnaise épicée (voir p. 13)

1 c. à soupe de sauce hoisin

1 c. à soupe de sauce tamari

1 filet d'huile d'olive

1 fromage à griller coupé en 4 tranches sur la longueur

DÉCORATION

Quartiers de lime, au goût

PRÉPARATION

GALETTES

Façonner 2 galettes avec le riz. Enrober les galettes de mélange à tempura, puis de panko.

Dans un bain d'huile ou une friteuse à 350 °F, frire les galettes jusqu'à ce qu'elles soient dorées et croustillantes. Bien égoutter et déposer sur du papier absorbant.

SALADE

Dans un bol, mélanger les ingrédients de la salade. Réserver au réfrigérateur au moins 1 heure.

GARNITURE AU BŒUF

Dans un bol, mélanger l'intérieur de ronde de bœuf, la mayonnaise épicée, la sauce hoisin, la sauce tamari et l'huile d'olive.

Dans une poêle, faire griller les tranches de fromage des 2 côtés à feu moyen jusqu'à ce qu'elles soient bien dorées. Couper les tranches de fromage en 2.

ASSEMBLAGE ET DÉCORATION

Couper chaque galette en 4. Assembler les pizzas en étageant le fromage à griller, la garniture au bœuf et la salade sur chaque morceau.

Décorer de quartiers de lime. Servir.

NOTE DE GENEVIÈVE

Cette salade de légumes de style asiatique est bonne partout tout le temps !

CANARD CONFIT

POUR 2 PIZZAS (8 MORCEAUX)

INGRÉDIENTS

GALETTES

2 tasses de riz à sushi cuit (voir p. 10)

1 c. à soupe de beurre

SALADE DE LÉGUMES CROQUANTS

1/4 de tasse de carottes coupées en juliennes

1/4 de tasse de chou rouge coupé en fines lanières

1/4 de tasse de pois sucrés coupés en fines lanières

1 mini bok choy haché

1 c. à soupe de graines de sésame blanches

1 c. à soupe de sauce tamari

1 c. à soupe de vinaigre de riz assaisonné

1 c. à thé d'huile d'olive

1 c. à thé de sirop d'érable

DÉCORATION

2 c. à soupe de mayonnaise épicée (voir p. 13)

1 cuisse de canard confit effilochée

Carottes râpées, au goût

Mayonnaise épicée (voir p. 13), au goût

PRÉPARATION

GALETTES

Façonner 2 galettes avec le riz.

Dans une poêle, faire dorer les galettes des 2 côtés dans le beurre.

SALADE DE LÉGUMES CROQUANTS

Dans un bol, mélanger les ingrédients de la salade de légumes croquants. Réserver au réfrigérateur au moins 30 minutes.

ASSEMBLAGE ET DÉCORATION

Sur les galettes, assembler les pizzas en étageant la mayonnaise épicée, le canard confit et la salade de légumes croquants.

Décorer de carottes râpées. Servir avec de la mayonnaise épicée.

NOTE DE GENEVIÈVE

Le canard confit et la salade de légumes croquants mis ensemble, c'est tout simplement divin ! Du sucré-salé comme j'aime !

Variante entrée : *Servir simplement le canard confit et la salade de légumes croquants pour une entrée sublime.*

CAROTTE DORÉE ET CANARD

POUR 2 PIZZAS (8 MORCEAUX)

INGRÉDIENTS

GALETTES

2 tasses de riz à sushi cuit (voir p. 10)

Mélange à tempura (voir p. 10)

Panko

GARNITURE

100 ml de sauce rosée maison ou du commerce

1 grosse carotte coupée en juliennes

1 c. à soupe de beurre

1 filet de miel

1 cuisse de canard confit effiloché

Fleur de sel, au goût

DÉCORATION

Ciboulette ciselée, au goût

PRÉPARATION

GALETTES

Façonner 2 galettes avec le riz. Enrober les galettes de mélange à tempura, puis de panko.

Dans un bain d'huile ou une friteuse à 350 °F, frire les galettes jusqu'à ce qu'elles soient dorées et croustillantes. Bien égoutter et déposer sur du papier absorbant.

GARNITURE

Dans une casserole, faire chauffer la sauce rosée à feu moyen. Réserver au chaud.

Dans une poêle, faire revenir les juliennes de carotte dans le beurre jusqu'à tendreté. Ajouter le miel. Saler légèrement.

ASSEMBLAGE ET DÉCORATION

Sur les galettes, assembler les pizzas en étageant la sauce rosée, le canard effiloché et les juliennes de carotte au miel.

Décorer de ciboulette. Servir.

NOTE DE GENEVIÈVE

Ma sauce rosée préférée est définitivement celle de Stefano Faita, offerte en exclusivité chez IGA. Un véritable coup de cœur !

Variante pasta : *Déposer la garniture sur un lit de vermicelles de riz. Tout aussi délicieux !*

CARPACCIO DE BŒUF ET LÉGUMES MARINÉS

POUR 2 PIZZAS (8 MORCEAUX)

158

INGRÉDIENTS

GALETTES

2 tasses de riz à sushi cuit (voir p. 10)

Mélange à tempura (voir p. 10)

Panko

SALADE DE LÉGUMES MARINÉS

1/2 tasse de carottes coupées en juliennes

1/2 tasse de poivron rouge coupé en juliennes

1 c. à soupe de mirin

1 filet d'huile d'olive

Fleur de sel, au goût

SAUCE CARI-COCO

1/2 tasse de mayonnaise

1/4 tasse de lait de coco

1 c. à thé de pâte de cari

1 c. à thé de miel

1 pincée de fleur de sel

CARPACCIO

200 g d'intérieur de ronde de bœuf tranché finement

DÉCORATION

Oignons verts ciselés, au goût

PRÉPARATION

GALETTES

Façonner 2 galettes avec le riz. Enrober les galettes de mélange à tempura, puis de panko.

Dans un bain d'huile ou une friteuse à 350 °F, frire les galettes jusqu'à ce qu'elles soient dorées et croustillantes. Bien égoutter et déposer sur du papier absorbant.

SALADE DE LÉGUMES MARINÉS

Dans un bol, mélanger les ingrédients de la salade de légumes marinés. Réserver au réfrigérateur au moins 1 heure.

SAUCE CARI-COCO

Dans un bol, mélanger les ingrédients de la sauce cari-coco.

ASSEMBLAGE ET DÉCORATION

Couper chaque galette en 4. Assembler les pizzas en étageant la sauce, le carpaccio et la salade de légumes marinés sur chaque morceau.

Décorer d'oignons verts. Servir.

LA BARVIE GIRL

 POUR 2 PIZZAS (8 MORCEAUX)

INGRÉDIENTS

GALETTES

2 tasses de riz à sushi cuit (voir p. 10)

Mélange à tempura (voir p. 10)

Maïs soufflé réduit en miettes

GARNITURE AUX FRAISES

1 tasse de fraises coupées en petits cubes

2 c. à soupe de sauce tamari

2 c. à soupe de sirop d'érable

DÉCORATION

140 g de parfaits de foie gras à l'érable

Maïs soufflé, au goût

PRÉPARATION

GALETTES

1. Façonner 2 galettes avec le riz. Enrober les galettes de mélange à tempura, puis de miettes de maïs soufflé.

2. Dans un bain d'huile ou une friteuse à 350 °F, frire les galettes jusqu'à ce qu'elles soient dorées et croustillantes. Bien égoutter et déposer sur du papier absorbant.

GARNITURE AUX FRAISES

3. Dans un bol, mélanger les fraises, la sauce tamari et le sirop d'érable.

ASSEMBLAGE ET DÉCORATION

4. Couper chaque galette en 2. Assembler les pizzas en étageant le parfait de foie gras et les fraises sur chaque morceau.

5. Décorer de maïs soufflé. Servir.

 NOTE DE GENEVIÈVE

La wild *Vanessa qui adore le maïs soufflé et le foie gras est bien heureuse que cette pizza porte son nom !*

LA PIZZA PIZZA

 POUR 8 MINI-PIZZAS

INGRÉDIENTS

GALETTES
2 tasses de riz à sushi cuit (voir p. 10)

Mélange à tempura (voir p. 10)

Panko

GARNITURE
8 c. à soupe de sauce à pizza

8 tranches de prosciutto

8 tranches de salami de Gênes

1/2 tasse de fromage mozzarella râpé

1/2 poivron rouge coupé en fines juliennes

DÉCORATION
Oignons verts ciselés, au goût

PRÉPARATION

GALETTES
Façonner 8 mini-galettes avec le riz. Enrober les galettes de mélange à tempura, puis de panko.

Dans un bain d'huile ou une friteuse à 350 °F, frire les galettes jusqu'à ce qu'elles soient dorées et croustillantes. Bien égoutter et déposer sur du papier absorbant.

ASSEMBLAGE ET DÉCORATION
Préchauffer le four à 350 °F. Sur une plaque de cuisson, déposer les galettes et assembler les mini-pizzas en étageant la sauce à pizza, les charcuteries, le fromage mozzarella et les poivrons.

Réchauffer les pizzas au four environ 10 minutes. Puis allumer le grilloir du four 2 minutes. Bien surveiller.

Décorer d'oignons verts. Servir.

LA PIZZA POUTINE

POUR 2 PIZZAS (8 MORCEAUX)

INGRÉDIENTS

GALETTES

2 tasses de riz à sushi cuit (voir p. 10)

Mélange à tempura (voir p. 10)

Panko

1 1/4 tasse de fromage en grains coupé grossièrement

SAUCE

2 c. à soupe de beurre

1/2 oignon blanc haché

1 gousse d'ail hachée

1 1/2 c. à thé de moutarde de Dijon

1 tasse de consommé de bœuf

1 c. à thé de beurre fondu

1 c. à thé de farine

DÉCORATION

Fromage en grains, au goût

PRÉPARATION

GALETTES

Mélanger le fromage en grains au riz à sushi cuit. Façonner 2 galettes avec le riz. Enrober les galettes de mélange à tempura, puis de panko.

Dans un bain d'huile ou une friteuse à 350 °F, frire les galettes jusqu'à ce qu'elles soient dorées et croustillantes. Bien égoutter et déposer sur du papier absorbant.

SAUCE

Dans une casserole, faire cuire l'oignon et l'ail dans le beurre à feu moyen. Ajouter la moutarde de Dijon et le consommé de XX.

Dans un petit bol, préparer un beurre manié en mélangeant 1 c. à thé de beurre fondu et la farine à la fourchette. Ajouter le beurre manié au reste de la préparation. Laisser mijoter jusqu'à épaississement.

Passer la sauce au mélangeur à main jusqu'à homogénéité. Réserver au chaud.

ASSEMBLAGE ET DÉCORATION

Déchirer les galettes en morceaux et les déposer dans une assiette autour d'un bol de sauce.

Décorer de fromage en grains. Servir.

 NOTE DE GENEVIÈVE

Cette façon de manger une poutine va vraiment vous surprendre ! Mais vous ne serez pas déçus !

164

LE PARFAIT DE FOIE GRAS

 POUR 2 PIZZAS (8 MORCEAUX)

INGRÉDIENTS

GALETTES

2 tasses de riz à sushi cuit (voir p. 10)

Mélange à tempura (voir p. 10)

Panko

GARNITURE

1 kiwi coupé en petits cubes

1/2 mangue coupée en petits cubes

3 fraises coupées en petits cubes

1/4 de tasse d'ananas coupé en petits cubes

1/4 de tasse de sirop d'érable

DÉCORATION

140 g de parfaits de foie gras

PRÉPARATION

GALETTES

1 Façonner 2 galettes avec le riz. Enrober les galettes de mélange à tempura, puis de panko.

2 Dans un bain d'huile ou une friteuse à 350 °F, frire les galettes jusqu'à ce qu'elles soient dorées et croustillantes. Bien égoutter et déposer sur du papier absorbant.

GARNITURE

3 Dans un bol, mélanger le kiwi, la mangue, les fraises, l'ananas et le sirop d'érable.

ASSEMBLAGE ET DÉCORATION

4 Couper chaque galette en 2. Assembler les pizzas en étageant le parfait de foie gras et la salade de fruits à l'érable sur chaque morceau. Servir.

MAGRET DE CANARD FUMÉ

POUR 2 PIZZAS (8 MORCEAUX)

INGRÉDIENTS

GALETTES

2 tasses de riz à sushi cuit (voir p. 10)

Mélange à tempura (voir p. 10)

Panko

SALADE DE ROQUETTE

1 tasse de roquette

2 c. à soupe de confit de canneberges et d'oignons

1/4 de tasse de pistaches coupées en morceaux

1 pincée de fleur de sel

GARNITURE

2 c. à soupe de mayonnaise au sésame (voir p. 13)

16 tranches de magret de canard fumé

PRÉPARATION

GALETTES

Façonner 2 galettes avec le riz. Enrober les galettes de mélange à tempura, puis de panko.

Dans un bain d'huile ou une friteuse à 350 °F, frire les galettes jusqu'à ce qu'elles soient dorées et croustillantes. Bien égoutter et déposer sur du papier absorbant.

SALADE DE ROQUETTE

Dans un bol, mélanger les ingrédients de la salade de roquette.

ASSEMBLAGE

Couper chaque galette en 4. Assembler les pizzas en étageant la mayonnaise au sésame, le magret de canard et la salade de roquette sur chaque morceau. Servir.

NOTE DE GENEVIÈVE

Variante salade : *Servir la salade de roquette et les tranches de magret fumé. Incroyable !*

PHO

INGRÉDIENTS

BOUILLON

2 tasses de bouillon de légumes

2 oignons verts émincés

1 c. à thé de pâte de miso

1 c. à thé d'huile de sésame

1 c. à thé de sauce hoisin

1/2 c. à thé de gingembre haché

GARNITURE

1 tasse de carottes râpées

1 tasse d'oignons émincés

BASE DE RIZ

2 tasses de riz à sushi cuit (voir p. 10)

2 c. à soupe de sauce hoisin

400 g de bœuf à fondue

DÉCORATION

Oignons émincés, au goût

Coriandre, au goût

Graines de sésame noires et blanches,
au goût

Le reste du bouillon

PRÉPARATION

BOUILLON

1. Dans une casserole, porter les ingrédients du bouillon à ébullition.

GARNITURE

2. Ajouter les carottes et les oignons dans le bouillon chaud et laisser cuire environ 5 minutes.

ASSEMBLAGE ET DÉCORATION

3. Assembler les assiettes en déposant dans chacune 1 tasse de riz, la sauce hoisin, le bœuf, les carottes, les oignons et 1 tasse de bouillon.

4. Décorer d'oignons, de coriandre et de graines de sésame noires et blanches. Servir avec le reste du bouillon.

NOTE DE GENEVIÈVE

Ici, j'ai voulu varier de la galette frite. Mais si vous préférez rester classique, c'est tout aussi bon avec la galette normale.

Trop bonne idée pour utiliser un reste de viande à fondue. Pho que tu y goûtes !

Variante soupe : *Doubler le bouillon. Déposer le tout dans un bol avec le bouillon. Une délicieuse soupe repas !*

POIRE, PARMESAN ET BACON

 POUR 2 PIZZAS (8 MORCEAUX)

INGRÉDIENTS

GALETTES
2 tasses de riz à sushi cuit (voir p. 10)

Mélange à tempura (voir p. 10)

Panko

GARNITURE À LA POIRE
1 poire coupée en fines tranches

1 c. à soupe de beurre

1 c. à soupe de sirop d'érable

1 pincée de fleur de sel

SALADE DE CRESSON
1/2 tasse de cresson (ou autres pousses)

1 filet de vinaigre balsamique

1 filet d'huile d'olive

1 pincée de fleur de sel

DÉCORATION
2 c. à soupe de copeaux de parmesan

2 tranches de bacon cuit

Copeaux de parmesan, au goût

PRÉPARATION

GALETTES
1. Façonner 2 galettes avec le riz. Enrober les galettes de mélange à tempura, puis de panko.

2. Dans un bain d'huile ou une friteuse à 350 °F, frire les galettes jusqu'à ce qu'elles soient dorées et croustillantes. Bien égoutter et déposer sur du papier absorbant.

GARNITURE À LA POIRE
3. Dans une poêle, faire revenir les tranches de poires dans le beurre et le sirop d'érable à feu moyen. Retirer du feu et ajouter la fleur de sel. Attention de ne pas faire une compote, mais bien de faire caraméliser les poires.

SALADE DE CRESSON
4. Dans un bol, mélanger les ingrédients de la salade de cresson.

ASSEMBLAGE ET DÉCORATION
5. Sur les galettes, assembler les pizzas en étageant les poires, les copeaux de parmesan, la salade de cresson et le bacon.

6. Décorer de copeaux de parmesan. Servir.

 NOTE DE GENEVIÈVE

Cette recette a failli être végétarienne, mais je n'ai pas pu résister à l'appel du bacon !

04 PIZZAS VÉGÉS

BRUSCHETTA

POUR 2 PIZZAS (8 MORCEAUX)

INGRÉDIENTS

GALETTES
2 tasses de riz à sushi cuit (voir p. 10)

Mélange à tempura (voir p. 10)

Panko

GARNITURE AU BRIE
125 g de fromage brie

DÉCORATION
Pesto maison ou du commerce, au goût

Bruschetta maison ou du commerce, au goût

Basilic ciselé, au goût

PRÉPARATION

GALETTES
1. Façonner 2 galettes avec le riz. Enrober les galettes de mélange à tempura, puis de panko.

2. Dans un bain d'huile ou une friteuse à 350 °F, frire les galettes jusqu'à ce qu'elles soient dorées et croustillantes. Bien égoutter et déposer sur du papier absorbant.

GARNITURE AU BRIE
3. Préchauffer le four à 350 °F. Dans un plat antiadhésif, faire chauffer le fromage brie au four environ 15 minutes.

ASSEMBLAGE ET DÉCORATION
4. Couper chaque galette en 2. Assembler les pizzas en étageant le pesto, le fromage brie et la bruschetta sur chaque morceau.

5. Décorer de basilic. Servir.

NOTE DE GENEVIÈVE

Voici ma recette préférée de bruschetta :

4 tomates italiennes fraîches coupées en dés

2 c. à soupe de basilic frais haché

1 c. à soupe de pesto maison ou du commerce

1 c. à thé d'ail haché

1 filet d'huile d'olive

1 pincée de fleur de sel

BURRATA AU PESTO ET AUX TOMATES

 POUR 2 PIZZAS (8 MORCEAUX)

INGRÉDIENTS

GALETTES
2 tasses de riz à sushi cuit (voir p. 10)

Mélange à tempura (voir p. 10)

Panko

SALSA DE TOMATES
1/2 tasse de tomates cerises de différentes couleurs coupées en 4

2 c. à soupe d'oignon rouge finement haché

1 c. à thé de sirop d'érable

1 c. à thé d'huile d'olive

1 c. à thé de vinaigre balsamique

1 pincée de fleur de sel

GARNITURE
250 g de fromage burrata

3 c. à soupe de pesto maison ou du commerce

DÉCORATION
1 filet d'huile d'olive

Pesto maison ou du commerce, au goût

1 pincée de fleur de sel

PRÉPARATION

GALETTES
Façonner 2 galettes avec le riz. Enrober les galettes de mélange à tempura, puis de panko.

Dans un bain d'huile ou une friteuse à 350 °F, frire les galettes jusqu'à ce qu'elles soient dorées et croustillantes. Bien égoutter et déposer sur du papier absorbant.

SALSA DE TOMATES
Dans un bol, mélanger les ingrédients de la salsa de tomates.

ASSEMBLAGE ET DÉCORATION
Sur les galettes, assembler les pizzas en étageant le fromage burrata, la salsa de tomates et le pesto.

Décorer de l'huile d'olive, du pesto et de la fleur de sel. Servir.

 NOTE DE GENEVIÈVE

La burrata peut être remplacée par de la mozzarella fraîche.

BURRATA AUX FIGUES ET AUX TOMATES SÉCHÉES

 POUR 2 PIZZAS (8 MORCEAUX)

INGRÉDIENTS

GALETTES

2 tasses de riz à sushi cuit (voir p. 10)

Mélange à tempura (voir p. 10)

Amandes tranchées

GARNITURE

2 figues coupées en petits cubes

6 tomates séchées hachées

1/8 de tasse d'amandes tranchées grillées

1/8 de tasse de noisettes grillées hachées

1 filet de miel

1 pincée de fleur de sel

DÉCORATION

250 g de fromage burrata

Figues coupées en 2, au goût

1 filet de miel

PRÉPARATION

GALETTES

1 Façonner 2 galettes avec le riz. Enrober les galettes de mélange à tempura, puis d'amandes tranchées.

2 Dans un bain d'huile ou une friteuse à 350 °F, frire les galettes jusqu'à ce qu'elles soient dorées et croustillantes. Bien égoutter et déposer sur du papier absorbant.

GARNITURE

3 Dans un bol, mélanger les figues, les tomates séchées, les amandes, les noisettes, le miel et la fleur de sel.

ASSEMBLAGE ET DÉCORATION

4 Couper chaque galette en 4. Assembler les pizzas en étageant le fromage burrata et la garniture de figues sur chaque morceau.

5 Décorer de figue et de miel. Servir.

 NOTE DE GENEVIÈVE

La burrata peut être remplacée par de la mozzarella fraîche.

Variante entrée : *Déposer simplement la garniture et la décoration sur la burrata. Ça va être très bon !*

LA BRUXELLES

INGRÉDIENTS

GALETTES

2 tasses de riz à sushi cuit (voir p. 10)

Mélange à tempura (voir p. 10)

Panko

GARNITURE

1 1/2 tasse de choux de Bruxelles coupés en 4

1 filet d'huile d'olive

2 c. à soupe de beurre

1 pincée de fleur de sel

1/4 de tasse de mayonnaise au miel et au citron (voir p. 12)

DÉCORATION

4 tranches de saumon fumé à froid

Graines de sésame noires, au goût

PRÉPARATION

GALETTES

Façonner 2 galettes avec le riz. Enrober les galettes de mélange à tempura, puis de panko.

Dans un bain d'huile ou une friteuse à 350 °F, frire les galettes jusqu'à ce qu'elles soient dorées et croustillantes. Bien égoutter et déposer sur du papier absorbant.

GARNITURE

Dans une poêle, faire revenir les choux de Bruxelles dans l'huile d'olive et le beurre. Ajouter la fleur de sel.

ASSEMBLAGE ET DÉCORATION

Sur les galettes, assembler les pizzas en étageant la mayonnaise au miel et au citron, les tranches de saumon fumé et les choux de Bruxelles. Couper les pizzas en 2.

Décorer de graines de sésame noires. Servir.

LA TREMPETTE D'ARTICHAUTS

POUR 2 PIZZAS (8 MORCEAUX)

INGRÉDIENTS

GALETTES

2 tasses de riz à sushi cuit (voir p. 10)

Mélange à tempura (voir p. 10)

Panko

GARNITURE AUX ARTICHAUTS

5 artichauts marinés grossièrement hachés

1 tasse d'épinards hachés

1/2 tasse de fromage à la crème

1/2 tasse de fromage cheddar râpé

1/2 c. à thé d'ail haché

1 pincée de flocons de piment

1 pincée de fleur de sel

DÉCORATION

Noix de Grenoble hachées grillées, au goût

Cresson (ou autres pousses), au goût

PRÉPARATION

GALETTES

Façonner 2 galettes avec le riz. Enrober les galettes de mélange à tempura, puis de panko.

Dans un bain d'huile ou une friteuse à 350 °F, frire les galettes jusqu'à ce qu'elles soient dorées et croustillantes. Bien égoutter et déposer sur du papier absorbant.

GARNITURE AUX ARTICHAUTS

Préchauffer le four à 350 °F. Dans un bol, mélanger les ingrédients de la garniture aux artichauts.

Mettre la préparation dans un plat allant au four. Mettre au four 20 minutes.

ASSEMBLAGE ET DÉCORATION

Couper chaque galette en 4. Assembler les pizzas en déposant la garniture aux artichauts sur chaque morceau.

Décorer de noix de Grenoble et de cresson. Servir.

NOTE DE GENEVIÈVE

Ok, ok, c'est une recette très classique. Mais c'est quand même une superbe idée que de la mettre sur une pizza, avouez !

TOFU AUX ARACHIDES

POUR 2 PIZZAS (8 MORCEAUX)

INGRÉDIENTS

TOFU MARINÉ

2 c. à soupe de sauce hoisin

1 c. à soupe de gingembre haché

1 c. à soupe de sauce soya

1 c. à soupe de sirop d'érable

1 c. à thé d'huile de sésame

1 c. à thé de sambal oelek

1/2 bloc de tofu extra ferme coupé en petits cubes

GALETTES

2 tasses de riz à sushi cuit (voir p. 10)

Mélange à tempura (voir p. 10)

Panko

GARNITURE

1/2 concombre anglais coupé en petits cubes

1/2 mangue coupée en petits cubes

1/2 avocat coupé en petits cubes

2 c. à soupe de sauce ponzu

1 c. à soupe de mayonnaise au sésame (voir p. 13)

1 c. à soupe d'oignons verts ciselés

1 pincée de fleur de sel

DÉCORATION

Guacamole (voir p. 12), au goût

Arachides hachées, au goût

Mayonnaise au sésame (voir p. 13), au goût

PRÉPARATION

TOFU MARINÉ

1. Dans un bol, mélanger la sauce hoisin, le gingembre, la sauce soya, le sirop d'érable, l'huile de sésame et le sambal oelek. Ajouter le tofu et laisser mariner au réfrigérateur au moins 6 heures.

GALETTES

2. Façonner 2 galettes avec le riz. Enrober les galettes de mélange à tempura, puis de panko.

3. Dans un bain d'huile ou une friteuse à 350 °F, frire les galettes jusqu'à ce qu'elles soient dorées et croustillantes. Bien égoutter et déposer sur du papier absorbant.

GARNITURE

4. Dans un bol, mélanger le tofu mariné avec les autres ingrédients de la garniture.

ASSEMBLAGE ET DÉCORATION

5. Sur les galettes, assembler les pizzas en étageant le guacamole et la garniture au tofu.

6. Décorer d'arachides et de mayonnaise au sésame. Servir.

 NOTE DE GENEVIÈVE

Vous voyez la photo ? J'ai mangé tout ce qui se trouvait dans cette assiette ! Il n'est rien resté ! Et pas question de partager ! Merci, là !

186

TOFU ET CHEDDAR FUMÉ

POUR 2 PIZZAS (8 MORCEAUX)

INGRÉDIENTS

GALETTES

2 tasses de riz à sushi cuit (voir p. 10)

Mélange à tempura (voir p. 10)

Panko

SALADE DE POUSSES ET D'AVOCAT

1 tasse de pousses de pois

1/2 avocat coupé en cubes

1/4 de tasse de vinaigre de riz

1 c. à soupe d'huile d'olive

1 c. à soupe de gingembre haché

1 c. à soupe de sauce tamari

1 c. à soupe de sirop d'érable

1 c. à soupe de graines de sésame blanches

1 c. à thé d'ail haché

1 pincée de fleur de sel

GARNITURE AU TOFU ET AU CHEDDAR FUMÉ

1 bloc de tofu ferme très finement émietté

200 g de cheddar fumé très finement émietté

1/4 de tasse de sauce Wafu

1/4 de tasse de sauce soya

1/4 de tasse de sauce hoisin

1 c. à thé de sauce sriracha

1 pincée de fleur de sel

PRÉPARATION

GALETTES

Façonner 2 galettes avec le riz. Enrober les galettes de mélange à tempura, puis de panko.

Dans un bain d'huile ou une friteuse à 350 °F, frire les galettes jusqu'à ce qu'elles soient dorées et croustillantes. Bien égoutter et déposer sur du papier absorbant.

SALADE DE POUSSES ET D'AVOCAT

Dans un bol, mélanger les ingrédients de la salade de pousses et d'avocat.

GARNITURE AU TOFU ET AU CHEDDAR FUMÉ

Dans un bol, mélanger les ingrédients de la garniture au tofu et au cheddar fumé.

ASSEMBLAGE

Sur les galettes, assembler les pizzas en étageant la garniture au tofu et au cheddar fumé et la salade de pousses et d'avocat. Servir.

 NOTE DE GENEVIÈVE

Variante apéro : *Tartiner la garniture au tofu et au cheddar fumé sur des craquelins. C'est divin !*

TOPINAMBOURS

 POUR 2 PIZZAS (8 MORCEAUX)

INGRÉDIENTS

GALETTES
2 tasses de riz à sushi cuit (voir p. 10)

Mélange à tempura (voir p. 10)

Panko

GARNITURE
1 tasse de topinambours épluchés et coupés en dés

1 c. à soupe de beurre

2 c. à soupe de sauce teriyaki

1/4 de tasse d'amandes tranchées grillées

1/4 de tasse de pacanes hachées grillées

1/2 tasse de fromage mascarpone

2 c. à soupe de sirop d'érable

1 pincée de fleur de sel

DÉCORATION
Pousses au choix, au goût

Amandes et pacanes grillées, au goût

PRÉPARATION

GALETTES
1 Façonner 2 galettes avec le riz. Enrober les galettes de mélange à tempura, puis de panko.

2 Dans un bain d'huile ou une friteuse à 350 °F, frire les galettes jusqu'à ce qu'elles soient dorées et croustillantes. Bien égoutter et déposer sur du papier absorbant.

GARNITURE
3 Dans une poêle, faire revenir les topinambours dans le beurre et la sauce teriyaki quelques minutes.

4 Dans un bol, mélanger les topinambours, les amandes, les pacanes, le fromage mascarpone, le sirop d'érable et la fleur de sel.

ASSEMBLAGE ET DÉCORATION
5 Couper chaque galette en 4. Assembler les pizzas en déposant la garniture sur chaque morceau.

6 Décorer d'amandes et de pacanes grillées et de pousses. Servir.

05 PIZZAS DESSERTS

BANANE, GUIMAUVES ET ARACHIDES

 POUR 2 PIZZAS (8 MORCEAUX)

INGRÉDIENTS

GALETTES

2 tasses de riz à sushi cuit (voir p. 10)

Mélange à tempura (voir p. 10)

Chapelure de biscuits Graham

GUIMAUVES

1/2 tasse de petites guimauves

DÉCORATION

1/2 banane coupée en tranches

Coulis de framboises maison ou du commerce

2 c. à soupe de cassonade

Arachides hachées, au goût

Framboises fraîches, au goût

PRÉPARATION

GALETTES

Façonner 2 galettes avec le riz. Enrober les galettes de mélange à tempura, puis de chapelure de biscuits Graham.

Dans un bain d'huile ou une friteuse à 350 °F, frire les galettes jusqu'à ce qu'elles soient dorées et croustillantes. Bien égoutter et déposer sur du papier absorbant.

GUIMAUVES

Faire fondre les guimauves dans un chaudron à feu doux ou dans un bol au four à micro-ondes.

ASSEMBLAGE ET DÉCORATION

Sur les galettes, assembler les pizzas en étageant les guimauves fondues, la banane et le coulis de framboises.

Saupoudrer la cassonade sur les bananes et, à l'aide d'une torche, faire caraméliser la cassonade.

Décorer d'arachides et de framboises. Servir.

COOKIE BLUFF ET NOIX DE COCO

POUR 2 PIZZAS (8 MORCEAUX)

INGRÉDIENTS

GALETTES

2 tasses de riz à sushi cuit (voir p. 10)

Mélange à tempura (voir p. 10)

Chapelure de biscuits Oreo

Noix de coco râpée

DÉCORATION

300 g de pâte à biscuits crue Cookie Bluff saveur Chocolat signature

Coulis de bleuets maison ou du commerce, au goût

Croustilles de noix de coco, au goût

PRÉPARATION

GALETTES

1. Façonner 2 galettes avec le riz. Enrober les galettes de mélange à tempura, puis de chapelure de biscuits Oreo et de noix de coco râpée.

2. Dans un bain d'huile ou une friteuse à 350 °F, frire les galettes jusqu'à ce qu'elles soient dorées et croustillantes. Bien égoutter et déposer sur du papier absorbant.

ASSEMBLAGE ET DÉCORATION

3. Couper chaque galette en 2. Assembler les pizzas en déposant la pâte à biscuits crue sur chaque morceau.

4. Décorer de coulis de bleuets et de croustilles de noix de coco. Servir.

NOTE DE GENEVIÈVE

Pour cette recette, prenez vraiment une pâte à biscuits conçue pour être mangée crue. Même si la recette de votre grand-mère est délicieuse, ce n'est pas recommandé de la consommer sans la cuire.

DATTANANAS

POUR 2 PIZZAS (8 MORCEAUX)

INGRÉDIENTS

GALETTES

2 tasses de riz à sushi cuit (voir p. 10)

Mélange à tempura (voir p. 10)

Noix de coco râpée

GARNITURE

237 ml de crème à fouetter 35 %

1/4 de tasse de sirop d'érable

1 c. à thé d'essence de vanille

1 c. à soupe de beurre

1 tasse d'ananas coupé en petits cubes

2 c. à soupe de cassonade

DÉCORATION

3 c. à soupe de purée de dattes maison ou du commerce

Pacanes hachées grillées, au goût

PRÉPARATION

GALETTES

1. Façonner 2 galettes avec le riz. Enrober les galettes de mélange à tempura, puis de noix de coco râpée.

2. Dans un bain d'huile ou une friteuse à 350 °F, frire les galettes jusqu'à ce qu'elles soient dorées et croustillantes. Bien égoutter et déposer sur du papier absorbant.

GARNITURE

3. Dans un bol, fouetter la crème avec le sirop d'érable et l'essence de vanille jusqu'à l'obtention de pics fermes.

4. Dans une poêle, faire fondre le beurre à feu moyen. Ajouter l'ananas et la cassonade. Faire caraméliser.

ASSEMBLAGE ET DÉCORATION

5. Couper chaque galette en 4. Assembler les pizzas en étageant la purée de dattes, la crème fouettée et les ananas sur chaque morceau.

6. Décorer de pacanes. Servir.

L'IMPOSTEUR POIRE-CHOCOLAT

 POUR 2 PIZZAS (8 MORCEAUX)

INGRÉDIENTS

GALETTES

300 g de pâte à biscuits crue Cookie Bluff
saveur Chocolat signature

GARNITURE

1 paquet de 227 g de fromage à la crème
tempéré

1/4 de tasse de sucre en poudre

1 c. à thé d'essence de vanille

1 tasse de garniture fouettée à la vanille
surgelée

DÉCORATION

1 poire coupée en fines tranches

Chocolat fondu, au goût

Amandes en tranches grillées, au goût

PRÉPARATION

GALETTES

Préchauffer le four à 350 °F. Sur une plaque de
cuisson, former les galettes avec la pâte à biscuits
et mettre au four 10 minutes.

GARNITURE

Dans un bol, fouetter le fromage à la crème avec
le sucre en poudre et l'essence de vanille. Ajouter
la garniture fouettée en pliant.

ASSEMBLAGE ET DÉCORATION

Sur les galettes, assembler les pizzas en étageant
la garniture au fromage à la crème et les poires.

Décorer de chocolat fondu et d'amandes. Servir.

 NOTE DE GENEVIÈVE

J'ai vraiment un groooos faible pour la pâte à
biscuits Cookie Bluff, saveur Chocolat signature.
On peut même la manger crue ! Génial, non ? Vous
pouvez aussi utiliser votre recette préférée de
biscuits aux pépites de chocolat.

J'ai une confession : j'ai rarement mangé quelque
chose d'aussi cochon !

201

NUTELLA, FRAMBOISES ET NOISETTES

 POUR 2 PIZZAS (8 MORCEAUX)

INGRÉDIENTS

GALETTES

2 tasses de riz à sushi cuit (voir p. 10)

Mélange à tempura (voir p. 10)

Chapelure de biscuits Oreo ou Graham

GARNITURE

1/2 tasse de Nutella ou autre tartinade au chocolat et aux noisettes

DÉCORATION

Noisettes grillées, au goût

Coulis de framboises maison ou du commerce, au goût

10 framboises fraîches

PRÉPARATION

GALETTES

1 Façonner 2 galettes avec le riz. Enrober les galettes de mélange à tempura, puis de chapelure de biscuits Oreo.

2 Dans un bain d'huile ou une friteuse à 350 °F, frire les galettes jusqu'à ce qu'elles soient dorées et croustillantes. Bien égoutter et déposer sur du papier absorbant.

GARNITURE

3 Dans un bol, faire fondre le Nutella au four à micro-ondes quelques secondes.

ASSEMBLAGE ET DÉCORATION

4 Sur les galettes, assembler les pizzas en étageant le Nutella, les noisettes et le coulis de framboises.

5 Décorer de framboises fraîches. Servir.

 NOTE DE GENEVIÈVE

Pour faire votre coulis maison : Au mélangeur, réduire des framboises en purées, ajouter du sucre et un peu de jus d'orange, au goût. Pour une texture plus lisse, passer le coulis au tamis pour enlever les graines.

POMMES CARAMEL BACON

 POUR 2 PIZZAS (8 MORCEAUX)

INGRÉDIENTS

GALETTES
2 tasses de riz à sushi cuit (voir p. 10)

Mélange à tempura (voir p. 10)

Chapelure de biscuits Graham

GARNITURE AUX POMMES
1 pomme finement tranchée

1 c. à soupe de beurre

2 c. à soupe de sirop d'érable

3 tranches de bacon cuit

1/4 de tasse de caramel maison ou du commerce

1 c. à soupe de graines de sésame blanches

DÉCORATION
2 boules de crème glacée à la vanille

Noix hachées grillées au choix, au goût

PRÉPARATION

GALETTES
Façonner 2 galettes avec le riz. Enrober les galettes de mélange à tempura, puis de chapelure de biscuits Graham.

Dans un bain d'huile ou une friteuse à 350 °F, frire les galettes jusqu'à ce qu'elles soient dorées et croustillantes. Bien égoutter et déposer sur du papier absorbant.

GARNITURE AUX POMMES
Dans une poêle, faire caraméliser les pommes dans le beurre et le sirop d'érable.

Ajouter le bacon, le caramel et les graines de sésame et retirer du feu.

ASSEMBLAGE ET DÉCORATION
Assembler les pizzas en déposant les galettes dans un bol, puis en ajoutant la garniture aux pommes.

Décorer de crème glacée et de noix grillées. Servir.

 NOTE DE GENEVIÈVE

C'est beaucoup plus sage de manger cette recette à la fourchette !

Produits Sushi à la maison

Vous l'avez vu tout au long du livre, Sushi à la maison fait des petits ! J'ai maintenant des collaborations avec plusieurs super entreprises québécoises pour vous offrir des produits à mon image. À noter que vous trouverez tous ces produits en exclusivité dans les IGA !

Tubes de cubes à tartare

Saumon, deux saumons, thon et pétoncles en collaboration avec Bleu Mer
La solution parfaite pour un tartare (ou une pizza) express !

Tubes de cubes à tartare

Bœuf en collaboration avec Dynamic
La solution parfaite pour un tartare (ou une pizza) express !

Masago

en collaboration avec Lagoon Seafood
Pour ajouter un petit éclat à vos plats.

Saumon fumé

en collaboration avec Atkins et frères
Fondant à souhait, un paquet, ce n'est jamais assez.

Pépites de saumon fumé à chaud à l'érable

en collaboration avec Atkins & Frères
Ne me laissez pas seule avec un paquet de pépites de saumon, il va disparaître !

Assortiments à tartare

en collaboration avec Bleu Mer
LA façon d'assaisonner un tartare en moins de deux.

Saumon saumuré à sec

en collaboration avec Searrano
C'est une charcuterie de saumon absolument délicieuse !

Base de riz frit pour pizza sushi

en collaboration avec Bleu Mer
Il ne reste qu'à la mettre au four pour un croustillant surprenant.

Mayonnaises et base à tartare

Mayo épicée, Mayo aux agrumes, Mayo sésame, Mayo bang bang et Base à tartare en collaboration avec Cuisine Poirier
C'était déjà ma mayo préférée ! Avec ma touche Sushi à la maison, c'est parfait pour vos recettes !

Crevettes bang bang

en collaboration avec Bleu Mer
Oui ! Des crevettes panées toutes prêtes !

Sashimis de saumon
Tatakis de thon

en collaboration avec Bleu Mer
Encore une fois, la solution pour vous simplifier la vie.

Adresses coup de cœur

IGA

Pour des poissons de qualité tartare et des produits d'une fraîcheur exceptionnelle partout au Québec.
www.iga.net

Atkins & Frères

Mes gros coups de cœur sont leur saumon fondant et, bien sûr, leurs pépites de saumon !
www.atkinsetfreres.com

Poissonnerie La Mer

Pour une sélection de poissons d'une qualité et d'une variété incomparables. Leur saumon fumé maison = WOW !
1840, boulevard René-Lévesque Est, Montréal
www.lamer.ca

Fou des Îles

Pour du poisson et un service impeccables ! Leurs produits des Îles-de-la-Madeleine valent le détour.
1253, rue Beaubien Est, Montréal
138, rue Fleury Ouest, Montréal
www.foudesiles.ca

Kim Phat

Idéal pour tout ce qu'il faut pour les recettes asiatiques !
7209, boul. Taschereau, suite 100, Brossard
3588, rue Goyer, Montréal
3733, rue Jarry Est, Montréal
www.kimphat.com

Marché Hawaï

Idéal pour tout ce qu'il faut pour les recettes asiatiques !
9204, boulevard Pie-IX, Montréal
www.marchehawai.com

Montagne dorée

Vous y trouverez tout pour préparer des pizzas sushis. Merci d'exister pour les gens de Québec ! P.-S. Leurs petits rouleaux au porc, aux crevettes et végés sont fous !
652, rue Saint-Ignace, Québec

Poissonnerie Gagnon

Pour la qualité, la fraîcheur incroyable et la variété de leurs produits. Leur chaudrée de fruits de mer est wow !
675, boulevard du Rivage (route 132), Rimouski
www.poissonneriegagnon.com

Poissonnerie Québec-Océan

Pour la saveur et la fraîcheur de leurs produits.
245, rue Soumande, Québec
1699, route de l'Aéroport, L'Ancienne-Lorette, Québec
www.quebec-ocean.com

Des marchés qui valent le détour

- Marché Jean-Talon, Montréal
- Marché Atwater, Montréal
- Marché du Vieux-Port, Québec
- Marché By, Ottawa

REMERCIEMENTS

Charlie Cadieux

Merci de t'être déplacée de Valleyfield à Montréal entre tes cours et tôt le matin. Tu es toujours aussi passionnée et dévouée. Merci de lire dans mes pensées. Ce que j'écris, c'est des listes d'épicerie complètement illisibles et incomplètes. Grâce à toi, les recettes goûtent bon dès la lecture.

Stéphanie Tremblay

Toujours cachée derrière ses cheveux quand elle est gênée, elle n'aime pas les compliments. Elle a de la difficulté à accepter qu'elle soit la 8e merveille du monde. Ce n'est jamais très simple de faire de la rédaction avec moi qui cuisine.

Jade Simard

Ma goûteuse professionnelle. Merci de t'être assurée à plusieurs reprises que c'était agréable en bouche. Pendant que j'étais concentrée sur le livre, c'est elle qui s'assurait que tout roulait avec Sushi à la maison. Merci pour tout.

Sarah Laroche

Toujours un plaisir de prendre des photos avec toi et surtout de faire des petits vidéos Snapchat entre les shoots. J'ai rarement travaillé avec quelqu'un d'aussi peu compliqué.

Jérôme Pelletier

Merci d'avoir façonné le 3/4 des galettes de tes mains nues. Merci pour tout ce qui est fumé avec amour dans ce livre.

Mon amoureux

Malheureusement pour moi, tu n'engraisses plus parce que tu t'entraînes 3 jours par semaine. Toujours aussi heureuse de te bourrer la panse avec mes créations. Il est tellement rendu blasé de tester mes recettes qu'il commence à gaspiller. Honte à toi. BYE. Merci d'avoir semi-goûté.

Mon fils, Malcolm

Merci la patate. Grâce à toi, je pense que je suis une meilleure humaine. Très heureuse de t'avoir fait découvrir les dumplings avec mon dernier livre et maintenant les pizzas sushis. Je suis bien contente que tu aimes ça. Je t'aime comme un gros camion de Doritos.

Jean-François Dupont

Merci d'être dans ma vie. Grâce à toi je suis beaucoup plus hydratée et j'ai du GLOW.

3 femmes et 1 coussin

Merci pour la ma-gni-fi-que vaisselle. C'est d'ailleurs de là que vient la vaisselle du Comptoir Sushi à la maison. Tenue par des passionnées, cette boutique est ouverte au grand public comme aux restaurants. Elles vous font de la vaisselle sur mesure incroyable.

Ma gang préférée chez Goélette

Toujours un immense plaisir de travailler avec cette équipe super compréhensive et surtout toujours prête à accepter mes bulles au cerveau. Merci de croire en chacun de mes projets.

LISTE DES RECETTES